DE TOUTE ATTENTE, CHOISIR LA VIE

L'initiation de Clarice Rahm

Eric Marchal

DE TOUTE ATTENTE, CHOISIR LA VIE

L'initiation de Clarice Rahm

Mentions légales

© 2022 Eric Marchal

Édition : BoD – Books on Demand, info@bod.fr
Impression : BoD – Books on Demand, In de Tarpen 42,
Norderstedt (Allemagne)
Impression à la demande

Couverture d'après une illustration de :
Lazare Cohm

ISBN : 978-2-3221-7372-3
Dépot légal : Juin 2022

LIVRE 1 :

DE LA DISLOCATION

« Là d'où je viens...
Mais elle s'était interrompue.
Elle était venue sous forme de graine,
Elle n'avait rien pu connaître des autres mondes. »

- Le petit Prince. A. de Saint-Exupéry -

CHAPITRE 1

« C'est magique ! »
« Tout est parfait ainsi »
« Ne t'inquiète pas »
« Je vais m'en sortir »

Je raccrochai après avoir prononcé ces quelques phrases sur un ton que j'aurais aimé plus rassurant.

J'avais voulu donner le change, mais évidemment, ma voix à peine audible avait dû me trahir.

Je ne croyais pas une seconde à ce que je venais de dire !

Je levai les yeux au ciel, un petit vent nous apportait du crachin.

Je restai là quelques instants, comme suspendue.

Les premières gouttes sur mon visage y dessinèrent des larmes, moi qui ne pouvait plus pleurer.

Bruine montante et nuit tombante, quelques silhouettes fantomatiques, trop pressées, qui s'éloignaient dans la ville. Un chien roux me regardait, comme s'il attendait quelque chose de moi. Je n'osai pas le fixer en retour, de peur qu'il ne se montre peut-être agressif. Le brouhaha des voitures qui allaient alentour augmentait mon vertige. Je me sentis très seule tout-à-coup dans cette ville agitée.

Je restai debout, figée, comme un panneau qui n'indiquerait plus aucune direction, comme interdite, comme un non-sens giratoire. L'intensité du vent et de la pluie allait croissant, je chancelais pour d'autres raisons.

La vue de mon visage triste, leptosome et dégoulinant dans le reflet de la vitrine me sortit de ma torpeur.

Tout me revint en un instant à l'esprit. Après tout ce n'était qu'un diagnostic ! Et après tout, un diagnostic n'est qu'un avis, un nom posé sur des faits préexistants. Pas de quoi s'inquiéter plus qu'avant. J'avais passé cet appel un peu en urgence, sur ce bout de trottoir, parce que je voulais savoir ce qu'il en était réellement de mon état de santé avant de porter mon téléphone en révision. J'étais devant la boutique qui allait bientôt fermer. Plus le temps de tergiverser, mon emploi du temps était trop serré, comme toujours. Ma vie quotidienne me rattrapait...

Machinalement mes doigts trouvèrent la clenche de la porte du magasin. Elle était un peu froide sous ma main tremblante. Je poussai la porte de la boutique, un petit carillon imita assez mal le chant des oiseaux. J'entrai...

... je ne pouvais alors pas imaginer ce qui allait commencer là pour moi.

Tout cela est tellement loin maintenant !

CHAPITRE 2

Une fois dans la boutique, je reconnus aussitôt le jeune apprenti, Charli, derrière le comptoir.

Je l'aimais bien ce Charli. Il devait avoir un peu plus de vingt-cinq ans, pas encore trente, mais il se comportait encore comme un adolescent dont il avait gardé le corps fin, souple et les gestes gauches de celui qui a grandi trop vite. Il me faisait rire, souvent. Le jour où j'avais acheté mon téléphone dans cette boutique, je m'en souviens, il portait alors un magnifique tee-shirt bleu avec le logo en forme de « S » de « *Superman* ». C'était d'autant plus drôle que lui n'était encore qu'un *adulescent,* plus tout à fait un adolescent mais pas encore un vrai adulte, et encore moins un « vrai homme », ou un « super-homme ». Il était resté là, comme bloqué entre deux âges. Il était un peu comme le petit frère de la famille. Celui qui est trop doué avec la technologie, mais pas assez avec les gens et la société. Une sorte de « *Geek* », un petit génie de ce qu'on appelait encore « *les nouvelles technologies de l'information et de la communication* », qui traînait avec lui une incapacité à créer de véritables relations humaines. C'était encore plus difficile pour lui, pour l'instant, avec les filles de son âge qui étaient bien souvent plus mûres que lui. Il était assez grand et mince, il était toujours prêt à rendre service. Il expliquait les choses trop vite pour moi car c'était trop facile pour lui. Ce que l'on voyait tout de suite chez lui c'était ses yeux bleus profonds, rêveurs, qui contrastaient avec le teint blanc, diaphane, de sa peau. Il vivait dans son monde. J'aimais le taquiner.

Je marchai vers lui. Ou plutôt, je titubai jusqu'à lui, devrais-je dire.

- Bonjour Charli. Tu sais que dehors, IRL (in Real Life – dans la vraie vie) il y a un truc qui s'appelle « le soleil », et qui peut donner des couleurs à ton « visage pâle ». Tu devrais sortir de temps en temps.

- Bonjour Madame Clarice. Je suis content de vous revoir. Vous y allez fort aujourd'hui ! Vous savez que je ne crois pas à l'existence de votre « soleil » et encore moins à son prétendu « super-pouvoir » de me faire changer de couleur de peau, me dit-il en entrant dans mon jeu. C'est une légende urbaine votre « soleil ». Ce n'est pas la réalité, s'il existait vraiment, ça se saurait et ils en parleraient dans les forums sur internet ! D'ailleurs il est où votre soleil, montrez-le moi !

Je jetai un œil par-delà la vitrine, la pluie redoublait.

- Un point pour toi. Il a disparu depuis peu.

- Vous voyez ! Si vous ne pouvez pas me le montrer, c'est qu'il n'existe pas, alors pourquoi est-ce que j'y croirais ? Ce n'est pas comme ça que vous allez me faire sortir dans votre « monde du dehors »... D'ailleurs votre teint est plus livide que le mien aujourd'hui. Qu'est-ce qu'il vous arrive ?

Je ne relevai même pas sa question. Il poursuivit :

- Excusez-moi, mais sans faire exprès, j'ai entendu les dernières phrases de votre conversation devant la boutique et je n'ai pas cru une seconde à vos « *Tout est parfait ainsi. Ne t'inquiète pas. Je vais m'en sortir* » .

Lui non plus n'y a pas cru, pensais-je !

En m'approchant, je réussis à lire la phrase de son tee-shirt du jour : « *les jeux vidéos ont ruiné ma vie, c'est pas grave il me reste encore deux vies dans ce jeu*». Sûrement une blague qui fait rire les Geeks ? ! Moi aussi j'aurais aimé avoir deux nouvelles vies pour recommencer différemment, pour pouvoir être quelqu'un d'autre, pour ne pas être malade, pour ne pas que ce qui m'arrivait en ce moment m'arrive à moi.

Vraiment je l'aimais bien ce Charli. J'avais une grande confiance en lui pour ce qui était de réparer mon smartphone, mais il ne me serait jamais venu à l'esprit d'en faire mon confident et encore moins mon psy ou mon docteur. J'ignorai donc à nouveau ses questions que je trouvais trop personnelles. Je n'avais pas envie de lui raconter ma vie et je me concentrai sur les problèmes liés à mon téléphone pour les lui présenter.

- Quand j'appelle certaines personnes, la communication passe mal, et les voix sont bien souvent parasitées, lointaines et comme métalliques, avec de la friture sur la ligne, donc incompréhensibles. *(ça fait surtout cela avec mes parents et mon ex-compagnon, c'est bizarre non , pensais-je ?).*

- Et puis il y a un problème avec la vitre. Est-ce l'usure ? Est-ce à force de rayures et de petits coups répétés ? La lumière n'est plus la même et tout ce qui était si clair auparavant est devenu flou et illisible *(comme dans mon appartement que je trouvais cosy et lumineux au début, que je trouve sombre maintenant et dans lequel je me sens à l'étroit ?).*

- Et tu te souviens, tu m'avais installé des applications pour écouter de la musique et m'enregistrer quand je chante, pour faire mes petits arrangements sonores. Je ne trouve plus cette application *(en même temps c'est surtout le temps et la motivation que je ne trouve plus pour écouter de la musique et pour chanter).*

Charli avait secoué un peu la tête, comme s'il se souvenait. Il avait aussi saisi son calepin et un crayon, devinant sans doute que ma liste de doléances allait être longue. Comme encouragée, je continuai donc :

- Tu vas te moquer de moi, mais le petit compagnon virtuel, installé soit-disant pour mon fils, c'est moi qui joue avec, le nourrit chaque jour, le promène et qui en prends soin. Mais le plus dingue, c'est que je me surprends à lui parler parfois *(lui, au moins, il m'écoute. Faudrait peut-être que je pense à prendre un chien. Comme le chien roux devant la boutique ?).*

- Et si tu pouvais aussi désinstaller l'application de réseau social. Je sais désormais que je n'y ai pas de vrais amis *(qui sont donc mes vrais amis aujourd'hui ?)*.

J'étais lancée maintenant. J'avais envie de changer et d'améliorer beaucoup d'autres choses sur ce téléphone.

- Et puis, depuis que je suis séparée de Pierre, sur les conseils d'une amie, je me suis inscrite sur une application de « dating ». Ne te moque pas de moi, tu devrais plutôt essayer toi aussi, ça te ferait du bien de rencontrer quelqu'un. Mais peux-tu voir s'il y a moyen de désactiver les notifications ininterrompues de cette application. Elle est devenue comme folle, elle me signale la présence gourmande de tous les mâles des alentours. Ça vibre de partout tout le temps. *(même s'il ne se passe jamais rien d'excitant et de vivifiant en vrai dans ma vie sur ce plan)*.

- Et pour mon fils, si tu pouvais installer un contrôle parental efficace. Je ne veux pas qu'il aille voir n'importe quoi sur mon téléphone. Tu crois que l'on peut protéger l'enfance par un simple mot de passe ?

Charli avait ouvert la bouche pour me répondre. Je ne lui en laissai pas le temps. J'avais d'autres problèmes à lui relater pour qu'ils les résolvent tous... Comme par magie !

- Profite-en s'il te plaît pour enlever ces jeux chronophages que j'avais installé ici et là. Marre de ces échappatoires qui me permettent d'oublier mes soucis quelques instants, mais jamais de les résoudre. *(suis-je dopée à la dopamine – l'hormone du plaisir - à chaque coup réussi, à chaque niveau passé, à chaque score dépassé ? Rien de mieux à me mettre sous la dent que cet ersatz de satisfaction ?)*.

- Et puis cette coque de protection est trop lourde, trop encombrante. Elle est censée me protéger, elle m'encombre, m'empêche d'utiliser le téléphone comme je voudrais *(m'empêche de me sentir libre ? je me sens toute engoncée de partout !)*.

- En plus, il n'y a plus de place pour rien ajouter. Cela déborde de souvenirs, de photos, d'applications inutiles, de messages... cela dévore ma mémoire et mes ressources, tu peux y faire le ménage ? *(même si certains souvenirs sont encore trop récents et sensibles pour passer à la suite).*

- Et le plus important pour finir , installe un bon antivirus s'il te plaît. C'est important un bon antivirus ! *(même si aucun vaccin ou aucun antivirus n'avait su préserver ma santé ! J'en faisais le constat amer aujourd'hui).*

- Je me demande même s'il n'est pas arrivé en fin de vie ce téléphone, s'il ne vaudrait pas mieux tout changer ? Tu en penses quoi ?

Levant les yeux vers lui, je découvris la tête éberluée de Charli qui avait pris des notes tant bien que mal. J'avais essayé de rester uniquement dans le registre de la technique, mais était-il possible que Charli ait cependant deviné des pans entiers de ma vie privée, juste en posant un simple diagnostic sur mon téléphone ? Je m'excusai de ma liste trop longue. Pour détourner l'attention, je m'enquis auprès de lui de savoir si mon maquillage n'avait pas trop coulé à cause des gouttelettes de pluies de tout à l'heure. Je remis de l'ordre dans ma chevelure.

Que pouvait-il penser de moi ?

Il devait sûrement me trouver charmante (comme beaucoup). Je n'étais ni trop grande ni trop petite, ni trop vieille, ni trop jeune, ni trop sûre de moi, mais assez cependant pour l'impressionner un peu, du moins, je l'espérais. J'étais plutôt une bonne fille, une bonne mère, une bonne professionnelle, j'avais été une bonne compagne. Charli avait sûrement cru tout cela de moi sans que j'eusse à faire le moindre effort. Qu'il me crut sincèrement et presque spontanément de la sorte m'avait tout de suite rassurée, dès notre première rencontre, et mise en confiance avec lui. Il faut croire que l'opinion d'un jeune vendeur dans une boutique quelconque avait encore de l'importance pour moi à l'époque. Il faut croire que je me souciais encore beaucoup de ce que tout un chacun pensait de moi ! Peut- être l'appréciais-je aussi instantanément car il se comportait comme s'il n'avait pas remarqué la tâche rouge d'irritation couvrant chaque jour un peu plus une partie de mon visage.

Il ne connaissait pas mon nom de famille, que je ne livrais pas au premier venu et s'évertuait à m'appeler « Madame Clarice ».

En fait, peu de personnes savaient que mon nom complet était « Clarice Rahm Barka ». Je n'aimais pas tellement mon nom. Il trahissait trop mon origine et avait trop souvent été source de moqueries. Mon père m'avait bien expliqué qu'en Arabe la Baraka ça voulait dire la chance, mais lui et moi étions toujours passés à côté. A l'école primaire et au collège déjà j'étais surnommée « la rameuse ». Chaque année il y avait toujours un petit malin qui se croyait intelligent et unique en réinventant continuellement la même raillerie: « Clarice Rahm, Clarice rame !», « Clarice Rahm Barka, Clarice rame dans sa barque ! »... pfff, la galère !

- Heu... je vais voir ce que je peux faire Madame Clarice. Laissez-moi votre téléphone ce soir et venez le chercher demain à la même heure, avant la fermeture. Il est trop tard ce soir, le patron va arriver et nous allons fermer la boutique. Tout sera prêt demain soir je vous le promets.

- Mais comment vais-je faire sans téléphone pendant vingt-quatre heures moi ? J'en ai besoin !

Il ouvrit le tiroir du comptoir et en extirpa un modèle de téléphone antédiluvien.

- Tenez ! Je vous laisse un téléphone de dépannage. J'ai juste à mettre votre puce dans celui-ci et vous pourrez le prendre.

Il s'exécuta promptement, avec dextérité et avec l'envie d'en finir rapidement pour fermer la boutique, comme s'il avait eu une vie trépidante qui l'attendait en dehors du magasin. On entendait au loin les grommellements du « Patron » dans l'arrière-boutique.

Je pris le téléphone de substitution. Je jetai un regard désinvolte sur l'objet obsolète et me dit, qu'au moins, il m'indiquerait l'heure.

J'insistai un peu et le remerciai de faire au mieux et le plus rapidement possible. Puis je m'excusai encore de m'être quelque peu épanchée. Il fit comme si de rien n'était et m'escorta précautionneusement vers la sortie.

Je fus rapidement dehors devant la boutique et j'entendis la lourde grille métallique se refermer derrière moi.

C'est à cet instant précis, dans la rue, devant la boutique, que je reçus mon premier message :

Expéditeur inconnu :
« *Est-ce que c'est bien toi ?*
Peux-tu me dire où tu es ?
Réponds S.V.P »

CHAPITRE 3

Je ne comprenais rien au fonctionnement de ce vieux téléphone, l'expéditeur était inconnu et il me demandait de lui répondre, alors que je n'avais aucun moyen de le faire ni même de savoir qui il était. Je ne savais même pas si le message m'était adressé ou s'il y avait une erreur de destinataire ? J'étais là, intriguée et impuissante à répondre et à découvrir l'auteur du message.

Sans possibilité de donner suite, j'oubliai progressivement ces quelques mots sur le chemin du retour. Une fois rentrée chez moi je mis le restant de mon énergie à chercher de la complicité avec mon fils dans ses jeux d'enfants. Kilian avait failli s'appeler Khalil, comme Khalil Gibran, le poète. J'adorais tout particulièrement cette citation du poète « *Vos enfants ne sont pas vos enfants. Ils sont les fils et les filles de l'appel de la Vie à elle-même, ils viennent à travers vous mais non de vous. Et bien qu'ils soient avec vous, ils ne vous appartiennent pas* ». C'est pour ce passage que j'avais voulu appeler mon fils Khalil. Mais c'est mon père (son grand-père), qui toute sa vie avait enduré certaines formes de racisme à cause de son origine et de son nom, qui m'avait gentiment fait comprendre, qu'en d'autres temps, d'autres lieux, d'autres mœurs, ce serait plus simple d'occidentaliser son prénom. Pierre, son père, (mon ex) avait proposé Kilian, pour je ne sais plus quelle raison (sûrement une mauvaise raison !). Mais moi j'aimais bien qu'il s'appelle Kilian maintenant. Je trouvais que cela lui allait bien. Plus que son prénom, j'aimais surtout mon fils. Je faisais de gros efforts pour essayer de le suivre quand il escaladait les montagnes, volait à tire d'ailes, terrassant dragons et sauvant princesses. Parfois c'était l'inverse ; à son âge les princesses n'étaient que des « filles », alors que les dragons le faisaient rêver ! On entendait tout ce qu'il y avait d'altérité dédaigneuse dans sa bouche quand il parlait des « filles », ce continent inconnu. Je le suivais de mon mieux dans ses jeux avec le peu de connexion qu'il me restait avec l'imagination et les mondes enchantés de l'enfance.

- Tu viens me sauver Kilian ?

- Maman, je t'ai dit de m'appeler «le chevalier d'or»

- Oh courageux chevalier d'or, venez me délivrer des griffes du dragon

- Maman tu n'es pas une princesse, tu es une reine. Moi j'aime mieux monter sur le dos du dragon et voler avec lui dans le ciel.

Il en fut ainsi ce soir-là jusqu'à ce que nous nous écroulions de fatigue tous les deux.

Ce n'est qu'au moment de me coucher que je songeai à nouveau au message de l'expéditeur inconnu.

Avec ces deux petites questions, ce message me tournait dans la tête. Je ne savais pas qui il était, mais lui non plus n'avait pas l'air de savoir qui j'étais et où j'en étais. Dans le demi-sommeil de l'endormissement, les questions de nos identités respectives prirent un caractère quasi obsessionnel. Le sommeil me gagna définitivement empêtrée dans ces questions sans réponse ...

... et le réveil me trouva tout autant circonspecte.

Ce matin-là il faisait encore gris dehors. La journée s'annonçait maussade. Elle serait en grande partie utilisée à mon boulot pour établir le montage administratif et technique de certains contrats d'assurances récalcitrants.

Je traînai encore un peu au lit. Retardant au maximum le moment où ma journée, de maman et de professionnelle, allait s'emballer. Je pris mon téléphone machinalement, fis la moue en reconnaissant l'objet vétuste de remplacement.

Un nouveau message m'attendait :

Expéditeur inconnu :
« *Le temps est venu*
appelant au changement
feuilles & masques tombent »

Cela m'agaça dès le bon matin. Je n'avais toujours aucun moyen de savoir ce que tout cela signifiait et qui m'écrivait de la sorte. La journée promettait d'être longue, douze heures qui me paraîtraient sûrement interminables me séparant encore du moment où je pourrais retrouver mon véritable téléphone fétiche et demander des explications à Charli.

La journée fut effectivement longue, très longue. Les douze heures devinrent plus de 700 minutes où se succédèrent, moues, cris, ironies, ennui, colères et soupirs désabusés.

Ce matin- là encore, c'est mon fils qui donna le ton.

- NOOONN !!! Maman je ne veux pas aller à l'école aujourd'hui !!!!

- Et tu crois que moi j'ai envie d'aller au travail ? Allez dépêche-toi.

- Ben, t'es bête, on n'a qu'à pas y aller... viens on reste tous les deux là...

- ~~connard~~ ... t'es mignon mon petit ange...

Pas le temps d'argumenter, d'ailleurs je ne savais pas quoi répondre, il avait tellement raison !

Puis ce furent les autres chauffeurs sur la route de l'école et du travail qui me harcelèrent par leur simple présence, par les bouchons qu'ils créèrent, par le retard qu'ils provoquaient dans mon emploi du temps tendu. J'avais glissé le CD de Nora Jones dans l'auto radio pour m'évader et me calmer un peu. Je choisissais toujours une voix de femme dans ce cas. Une femme qui chantait avec son âme, sa voix « saoul », ça me faisait immanquablement du bien. Je chantonnais un peu avec elle. A ce moment, alors que je me rabattais promptement, un chauffard me présenta son majeur dans un geste rageur, et je crus lire sur ses lèvres

- « C'est bien une femme au volant ça ! »...

- Connard !

Puis on eut dit que mon petit chef, mes collègues et mes clients s'étaient passé le mot pour me pourrir la journée.

- Clarice vous savez que j'attends votre dossier pour le recouvrement de la Famille Boilot

- C'est que les clients n'arrêtent pas d'appeler ce matin...

- Hé bien décrochez bon sang ! (tu vas voir ce que je vais te décrocher... connard!)

Les quelques échanges avec des collègues (amis de substitutions avec qui j'avais appris à jouer le jeu des civilités socialement usitées en milieu professionnel non choisi) ne me suffisaient plus pour rendre acceptable ma journée de travail. Ces histoires d'assurances me devenaient insupportables alors que tout mon être criait son besoin de liberté et d'aventures. Le vieux téléphone en plus de m'indiquer le lent et sempiternel égrainage des minutes, m'avait quand même permis de m'évader quelques instants en un coup de fil à ma meilleure, et peut-être seule, amie, Dzamïn.

- Clarice, il faut que je te le présente, il est trop bien.

- Tu t'emballes encore ma belle... au moins cela te rend joyeuse

- Et toi ?

- Laisse tomber c'est l'enfer au boulot, je ne sais plus où donner de la tête, je fais n'importe quoi avec Kilian qui grandit trop vite, et côté mecs, depuis la séparation d'avec Pierre c'est le calme plat... Mais sinon tout va bien.

- D'accord, je suis contente de voir que tu vas bien. Tu me dis si tu veux sortir un soir, je pourrais garder Kilian, on s'amuse trop bien tous les deux.

- Oui, merci, il faut que je te laisse, j'ai trop de boulot.

Je n'avais même pas osé lui parler de ma maladie.

Le diagnostic qui était tombé la veille donnait un nom à ma maladie sans pour autant donner une piste de solution. Cette maladie auto-immune n'était pas mortelle me répétais- je pour me rassurer. Cependant, cela exacerbait ce qu'il y avait d'insoutenable pour moi à perdre mon temps ici maintenant. Le tournis et le malaise me prenaient presque devant ce vide abyssal et les piles de dossiers.

Est-ce que je devais parler de ma maladie à mes collègues, à mes supérieurs ? Est-ce que je devais tout claquer et vivre pour de vrai loin d'ici, avant que...

A un moment il m'apparut enfin qu'il ne restait guère plus que 20.000 secondes avant de partir de mon bureau. Je me dis que je ne devrais pas casser ma pipe d'ici-là. D'autant que c'était le moment zénithal de la pause casse-croûte du midi.

L'après-midi, le stakhanovisme ambiant me laissa un peu de répit. La journée continuait à passer entre activités dénuées d'intérêt et de sens, entre mer d'huile d'ennuis, papotages et clapotis avec de vagues connaissances. Une journée pleine de tâches et tellement vide de contenu, vide de joie et de vie.

Les dernières poignées de secondes s'égrainaient encore plus lentement, comme à contre cœur.

Heureusement dans cette journée, il y eut quelques messages de mon « *Expéditeur Inconnu* », qui me surprirent parfois par la synchronicité de leur contenu d'avec mes pensées ou mes actions du moment.

A la pause, un collègue récemment promu cadre avec tous les honneurs inhérents, tentait une analogie entre son ascension sociale et la réussite de sa vie. C'est à ce moment que mon « *Expéditeur inconnu* » m'avait gratifié d'un :

> « *Quel étrange jeu*
> que celui où pour gagner
> *faut ne pas jouer* ».

Je remarquai à cette occasion que je pensais maintenant à « Mon » Expéditeur Inconnu, avec un adjectif possessif. Je me l'étais déjà approprié cet « Expéditeur Inconnu ». Il était devenu «Mien», comme s'il y avait une véritable complicité entre nous.

Plus tard, alors que je me perdais intérieurement en conjecture et en rêverie sur son identité, et que la journée de travail n'en finissait pas, « Mon » Expéditeur inconnu m'envoya :

> « *Et si j'existais ?*
> Et toi, qui crois te connaître
> *inconnus nous sommes* »

Je regardai autour de moi, dubitative, me demandant si un collègue n'était pas en train de me jouer un vilain tour. Je me mis à guetter chez chacun, les signes de duperies, de cachotteries, ou d'un mauvais jeu de rôles. Je trouvai de tels signes innombrables en chacun de mes collègues, de mes voisins. Celui-là avait tout du fourbe, avec celle-là je pouvais m'attendre à tout, quant aux autres... Je les jugeai. J'arrêtai donc bien vite ce petit jeu qui commençait à me donner le cafard, le bourdon et autres nuisibles...

Je me surpris alors à guetter à l'envie de nouveaux messages de « Mon » Expéditeur inconnu, mais je refusai de m'avouer encore que j'y prenais goût.

Petit à petit, lentement, l'enfilade des quarante mille secondes depuis ce matin laissait apercevoir sa finitude. J'avais rendez-vous avec Charli un peu avant dix-neuf heures, avant la fermeture du magasin pour récupérer mon téléphone et comprendre. Il me tardait. Je partis donc du bureau un peu plus tôt ce soir-là. Heureusement je n'avais pas à récupérer mon fils. C'était au tour de son père de le garder quelques jours. Notre relation avait été un fiasco, mais au moins nous avions réussi à nous mettre d'accord et à nous organiser avec Kilian pour que cela soit fluide.

Tout commença alors presque comme une répétition de la veille : j'arrivai devant la boutique à 18h53, le vieux téléphone était précis sur ce point, petit vent (le même qu'hier ?) portant l'ondée, même chien roux me fixant du regard à la porte du magasin, tintamarre de la ville en fond sonore. J'étais simplement plus élégante, habillée de façon peut-être plus stricte, me croyant plus préparée que la veille, sans savoir ce qui m'attendait.

J'entrai.

CHAPITRE 4

Charli était derrière le comptoir, fidèle à son poste. Il sourit en me voyant, même s'il devait se douter que je risquais de retarder un peu son départ. Il terminait de s'occuper d'une autre cliente. Ce qui me laissa le temps de déambuler dans la boutique. Les murs y étaient blancs avec des lumières légèrement bleutées, le tout dans une ambiance assez simple et vide laissant une impression, au choix , de haute technologie, de sobriété zen, ou de clinique aseptisée. L'atmosphère y était claire et pas trop lumineuse, plutôt pastel. Je remarquai quelques appareils çà et là, mis en avant, dont j'ignorais jusqu'à l'existence, l'usage et l'utilité. Il n'y avait pas grand-chose à voir, je fis le tour de la boutique en quatre enjambées. Je me rapprochai du comptoir, en respectant comme c'est l'usage entre gens de bonne société, la limite de confidentialité. Le comptoir était en verre avec un appareil à carte bleue d'un côté et un récipient transparent rempli de bonbons à disposition de l'autre côté. Mon regard passa des bonbons à Charli. Je me demandai, est-ce pour cela que mon fils l'appelait «Charli Créma » (comme la marque de bonbons «Kréma») ou était-ce à cause de sa bouille enfantine ? Aujourd'hui Charli arborait fièrement un tee-shirt de « *Matrix*» (un de ces films cultes de l'ancienne génération «Geek») représentant une petite cuillère où était écrit « *la cuillère n'existe pas*». Paradoxe qui n'était pas sans rappeler le tableau de Matisse « *ceci n'est pas une pipe*». Autre temps, autres références.

Charli en avait fini avec l'autre cliente :

- Au revoir Madame Nora, et merci....

Charli appelait-il tous les clients par leurs prénoms précédés d'un poli et circonspect « Monsieur » ou « Madame » ? Il se tourna vers moi.

- Bonjour Madame Clarice, que puis-je pour vous ?

- Tu as eu le temps de réparer mon téléphone ? Je l'espère ! Parce que celui que tu m'as prêté hier est ... comment dire... ?

- Ne vous inquiétez pas Madame Clarice, votre téléphone est prêt. J'ai fait selon vos attentes.

- Merci. Je peux te demander autre chose ? Une chose qui n'a rien à voir ?

- Faites Madame Clarice, je suis là pour ça.

- C'est à propos de ce téléphone que tu m'as prêté, peut-on savoir qui est l'expéditeur quand on reçoit un message d'un expéditeur inconnu ?

- Drôle de question, Madame Clarice ! Hé bien non, c'est justement le principe. Si l'expéditeur n'est pas enregistré sur votre puce ou sur votre compte, et qu'il cache son numéro, on ne peut pas savoir qui il est.

- Même toi tu ne peux pas savoir, avec tes compétences et tes bidouilles de petit génie en informatique ?

- Pourquoi me demandez-vous cela Madame Clarice ?

- C'est que j'ai reçu de drôles de messages sur ton drôle de téléphone depuis hier.

- Vous permettez ? C'est bizarre ! me dit-il en me prenant le téléphone des mains sans attendre ma réponse. J'ai dû me tromper de téléphone, ce n'est pas notre téléphone de remplacement que je vous ai laissé, c'est celui du « patron », ce qui explique sa vétusté me dit-il en me faisant un clin d'œil. Je n'aurais pas dû vous passer celui- là, ajouta-t-il en retirant promptement ma puce dudit appareil.

Le téléphone indiquait 19h02. La boutique aurait déjà dû fermer, et à ce moment, sans puce, le vieux téléphone reçut encore un nouveau message :

Expéditeur inconnu :
« *Clarice telle Alice*
A deux doigts du précipice
innocente glisse »

- Qu'est-ce que c'est que ça ? Sursautais-je.

Charli avait vu le message lui aussi. Cela ne l'avait pas surpris autant que moi. Il se contenta simplement de compter et recompter sur ses doigts :

- 5-7-5, pas de doute c'est un haïku. Vous connaissez sans doute ces courts poèmes japonais, censés permettre ...

- Je ne vous demande pas sous quelle forme est écrit le message ! J'aimerais que vous m'expliquiez comment se fait-il que cet expéditeur inconnu connaisse mon prénom ? Et comment peut-il m'envoyer des messages alors que vous avez retiré ma puce de ce pitoyable téléphone ? Et qui est cet expéditeur qui m'en veut de la sorte, me surveille sans doute pour que ses messages tombent souvent à propos, comme s'il m'espionnait, comme s'il me connaissait...

J'avais posé ces questions dans un souffle, dans un râle. Je craquais un peu facilement ces temps-ci !

- Vous savez, la technologie est parfois étonnante. Bien qu'étant moi même plutôt doué dans ce domaine, ce monde garde beaucoup de mystères pour moi.

- Pour vous ? Alors vous imaginez ce qu'il en est pour moi !

- Vous ai-je déjà raconté que le Kanji qu'ont inventé les Japonais pour dire « smartphone » est un mélange de trois signes plus anciens que l'on aurait pu traduire par « *Sorcière qui compte et qui parle* ».

Je ne savais pas s'il était sérieux, mais cela me détendit. Charli était friand de ce genre d'histoires qu'il colportait sans les vérifier. Il en avait toujours moultes à raconter. Je le poussai un peu dans ses retranchements, pour en savoir plus sur sa vision techno-magique :

- Qu'est-ce que tu me racontes-là ? La technologie c'est de la science pure et dure, c'est rationnel. Tu peux rester cartésien deux minutes pour me répondre concrètement, plutôt que de divaguer et rêver ainsi dans ton monde.

- Justement, savez-vous comment Descartes a découvert sa méthode de pensée (cartésienne) sur laquelle se base toute notre science ?

- Je t'écoute …

- Descartes lui-même affirme que c'est lors de trois rêves successifs qu'un grand vent tempétueux ("un génie") et un éclair ("l'Esprit de vérité") lui ont soufflé des "choses d'en-haut », des choses divines ou célestes et que c'est à partir de là qu'il a construit toute sa pensée rationnelle, la nôtre aussi donc. Pas très rationnel tout ça et pourtant véridique. Paradoxal, non ?

- Oulala ! Je n'ai jamais entendu un vendeur utiliser de si mauvaises excuses pour justifier de son incapacité à comprendre le fonctionnement d'un téléphone.

- Quoi qu'il en soit, votre « Expéditeur inconnu » me parait plus vivre dans le monde de la poésie, que dans le monde des sciences.

- Mais que me chantes-tu là ? Il y a juste « le Monde » ! Il n'y en a pas plusieurs, on n'est pas dans un de tes jeux vidéo là, le reste c'est des contes pour enfants.

Au plus profond de moi, tout mon être criait, quelque peu sur la défensive, qu'il n'y avait qu'un seul monde, une seule réalité, et c'était important qu'il en soit ainsi !

Charli sortit un gros livre rouge et épais de derrière le comptoir. Je vis le titre « *l'agenda de Mère – Tome 3* ». Je fus surprise de constater qu'il lisait autre chose que des magazines de jeux vidéo et des mangas.

- Qu'est-ce que c'est ça, en réalité ? Me demanda-t-il.

- Et bien un livre, c'est évident !

- Pas si simple... Un biochimiste scientiste pourrait vous dire qu'en vérité c'est surtout du carbone. Et c'est la réalité. Un éditeur vous dirait que ce n'est qu'un livre sans véritable valeur provenant d'une petite édition marginale. Et c'est la réalité. Quant à moi et d'autres lecteurs plus assidus, nous pourrions dire que c'est un fragment de témoignage d'une des plus importantes épopées intérieures contemporaines, un immense trésor ! Et c'est vrai aussi. La réalité est multiple, chacun la perçoit depuis son monde, avec ses lunettes colorantes et ses œillères !

Je me souviens aussi d'un reportage qui montrait d'immenses vergers d'amandiers en fleurs en Californie. La caméra suivait un chef d'entreprise apiculteur qui y avait disposé des centaines ou des milliers de ruches pour polliniser ces vergers à perte de vue. On entendait en fond sonore le puissant bourdonnement d'une infinité d'abeilles. Alors le professionnel de l'apiculture se tournait face à la caméra pour demander : « Vous entendez ce bruit ? ». Effectivement, et je trouvais magnifique le bourdonnement de cette vie florissante alentour dans cette nature superbe. L'apiculteur-entrepreneur n'entendait pas le bourdonnement de cette oreille. Il percevait le monde, les amandiers et les abeilles exclusivement au travers de sa vision (et de son audition) entreprenariale. Ce qu'il résuma en une phrase laconique : « C'est le bruit de l'argent qui rentre dans mon tiroir-caisse ». Chacun sa perception du monde et chacun sa vision de la réalité.

Je découvrais que Charli pouvait avoir des pensées plus profondes et abstraites que je ne le l'avais cru jusqu'alors.

- Décidément tu es tout un poème à toi tout seul aujourd'hui.

- Je suis plutôt un rêveur qu'un poète. Un rêveur qui se questionne sur ce qu'est la réalité, ce qu'est le rêve et leurs liens.

- Tu passes trop de temps dans les univers de tes jeux vidéos, c'est pour cela que tu es un doux rêveur.

- Voulez-vous que je vous initie au « monde du rêve » ?

- A quoi cela pourrait bien me servir ?

- A vous réveiller bien sûr !

CHAPITRE 5

Je n'étais plus à un paradoxe près. Pour la première fois, en plus de m'être sympathique, Charli m'intéressait. Je l'invitai à poursuivre.

- C'est « le patron » qui m'a lancé le premier sur cette piste. On m'a toujours dit que j'étais un éternel rêveur, toujours dans la lune. On me disait cela comme un dénigrement, une moquerie, voire avec du mépris dans la voix. J'en avais un peu honte. « Le patron » l'a tout de suite remarqué lui aussi, dès mes premiers jours de travail dans sa boutique. Il me disait « tu es un sacré rêveur toi ! ». Mais lui ne déconsidérait pas ce penchant naturel chez moi, bien au contraire. Il m'a aidé à me reconnaître comme tel, à apprécier ce don et à développer cette capacité.

- Développer la capacité de rêver ! Beaucoup de gens rêvent d'avoir un patron comme cela, qui invite ses employés à dormir au boulot ! Super « patron »... En même temps, c'est facile, tout le monde dort, tout le monde sait rêver, même les animaux. Merci du conseil...

- Tout le monde rêve, mais tout le monde ne sait pas « *voyager dans le monde du rêve* », très peu savent utiliser à bon escient ce qu'ils ramènent du monde du rêve, et encore moins se posent des questions sur « le rêveur ». Alors, je vous initie à « l'art du rêveur » ?

Je me demandais bien où il voulait en venir. J'étais un peu sur mes gardes.

- Ça fait mal ?

- Pas de la façon dont vous l'imaginez !

Il avait fait cette dernière remarque avec un sourire malicieux. Comme un gamin qui s'apprête à faire une bonne blague, mais aussi avec une confiance en lui que je ne lui avais jamais vue auparavant. Il avait su piquer ma curiosité. J'en avais oublié le but de ma visite ici et toute notion du temps.

- Va pour ton initiation Charli... Mets-moi s'en plein la vue.

- Non, pas « mon » initiation ! Il s'agit de «votre» initiation à « **l'art du rêveur** » Madame Clarice.   C'est très simple en vérité. Il suffit de désapprendre deux choses, d'en appliquer deux nouvelles à la place, et d'y ajouter un « je-ne-sais-quoi ».

- Un jeu d'enfant, lui répondis-je sans trop y croire. Je commençai à m'impatienter.

Charli sortit un carnet de notes nommé « tout-doux » (plutôt que « to do », qui signifie « à faire » en Anglais »). C'était trop mignon. Il portait décidément bien son nom de Charli Créma. Il s'essaya à schématiser tout cela. Il ressemblait encore plus à un grand enfant quand il s'appliquait ainsi, maladroitement. Pour peu, il aurait tiré la langue dans un coin de sa bouche pour mieux se concentrer. Pour l'instant, en regardant son schéma, on aurait juste dit quatre patatoïdes. Deux en dessous et deux au-dessus, qui se croisaient comme les anneaux olympiques, mais en moins bien dessinés ! Le tout entouré d'une patate plus grande qui aurait sûrement voulu être un cercle. Le dessin n'était pas le plus grand talent de mon rêveur. Je me retins de me moquer pour le laisser poursuivre.

- Le premier Cercle en bas à gauche, c'est le premier désapprentissage,   me   dit-il :
« **Le rêve est aussi important que la veille** ».

Notre société survalorise l'état de veille, et la pensée rationnelle. Alors que c'est juste un état parmi d'autres avec son corollaire de perceptions et de représentations de la réalité. Pourquoi y aurait-il une hiérarchie des états ? Toutes les civilisations n'ont pas fait ce choix. Les grecs anciens, la plupart des autres civilisations anciennes, et encore aujourd'hui, beaucoup de peuples qui ont su garder leurs traditions animistes, ont fait un choix autre, et ont accordé beaucoup d'importance aux rêves.

- Je croyais entendre parler un psy.

- Effectivement, plus récemment, et dans une certaine mesure de façon plus limitée, la psychologie contemporaine redonne ses lettres de noblesse aux rêves. La première étape consiste donc à oser accorder plus d'importance à l'état de sommeil, et aux rêves. C'est un choix que l'on peut faire à tout moment, une simple décision à prendre. Puis pour appréhender et aimer de plus en plus ce monde du rêve, on peut commencer par noter ses rêves et à les partager avec quelqu'un.

- Très bien, je veux bien accorder plus d'importance à mes rêves. Et ensuite, ça va changer quoi pour moi ?

- Le deuxième cercle en bas à droite, c'est le deuxième désapprentissage, précisa-t-il en pointant de son crayon le deuxième patatoïde.

« Le rêve n'est pas replié sur lui-même ».

Bien sûr dans nos rêves on trouve beaucoup de nous-même, des événements vécus dans la journée que nous revisitons, ainsi que notre inconscient. Moi j'ai commencé à m'y intéresser car c'est un peu comme pour les jeux vidéos ; il y a nous et les personnages non joueurs issus du jeu lui-même qui sont juste des bouts de programmes. Et on peut en rester là, tout seul sur son ordi. Mais si on commence à jouer à d'autres types de jeux en ligne et en réseaux interconnectés, il y a d'un seul coup plein d'autres joueurs sur toute la planète avec qui on peut entrer en relation. Il en va de même pour les rêves , on peut rêver seul avec les émanations de notre rêve, de notre programme inconscient, mais on peut aussi se connecter à d'autres rêveurs-joueurs. Si on se connecte à nos parents, nos grands-parents et qu'on remonte encore plus loin, on peut jouer-rêver avec nos ancêtres. Peut-être que la psychogénéalogie dit des choses assez proches, non ? Mais on peut aussi se connecter à d'autres rêveurs-joueurs un peu partout. Peut-être qu'on n'est pas loin de l'inconscient collectif alors, non ? Mais pourquoi s'arrêter là ?

Il y a tellement d'autres connexions possibles à essayer. C'est passionnant et sans limite.

- Ce que tu me racontes là me fait penser aux « Songes », quand les prophètes et les génics recevaient des messages par l'intermédiaire de je ne sais qui dans leurs rêves. Et aussi aux « muses » que côtoyaient les artistes dans des demis-sommeils et qui les inspiraient.

- Tout à fait, on appelle cet état, l'état hypnagogique.

- Je dois t'avouer Charli que tu me bluffes là ! Tu t'y connais réellement bien sur le sujet ! Tu t'y connais même mieux que sur la réparation des téléphones on dirait.

Il ne répondit pas à ma pique. Il s'était arrêté, me regardant, se demandant si je me moquais ou s'il pouvait poursuivre. Je l'aidai un peu :

- Et qu'est-ce que je fais de toutes tes infos moi ?

- C'est tout simple, vous décidez comme moi, de lâcher l'ancienne croyance que le rêve n'est qu'une émanation personnelle repliée sur elle-même, pour commencer. Puis en parallèle, vous commencez une pratique, un entraînement. Ça tombe bien cette pratique c'est justement le 3ème cercle, me dit-il en montrant un nouveau patatoïde.

Charli m'avait entraînée dans son histoire, je voulais connaître la suite maintenant.

- Quelle est donc cette pratique dans ton troisième truc ?

- Le troisième cercle en haut à gauche c'est la première pratique :

« On peut voyager dans ses rêves »

C'est peut-être ce que certains appellent les rêves lucides ou les rêves conscients. C'est comme de se réveiller dans son rêve pour pouvoir un peu le piloter et aller où l'on veut.

- J'ai déjà entendu parler de ça moi aussi. Pourtant ça ne m'est jamais arrivé !

- C'est exaltant, mais ça demande de l'entraînement. Le patron m'a donné une bonne technique d'entraînement. Il faut s'entraîner tous les soirs, pendant au moins un mois, en se couchant et en se disant « ce soir, je vais voyager dans mes rêves en conscience et je vais aller voir tel endroit ou telle personne ». Si on se réveille trop, le rêve s'arrête. Si on ne se réveille pas assez, le rêve continue là où il veut. Ce n'est pas grave, on recommence le lendemain. Juste sur le fil entre les deux, on peut voyager dans ses rêves. C'est là que ça devient fascinant. On peut aussi être aidé par nos amies les plantes.

- Non merci, hors de question que je me drogue pour avoir des hallucinations.

- Je ne vous parle pas de ça. Tout comme un petit café peut nous donner un coup de boost, une tisane de verveine nous aider à dormir et une autre de mélisse nous aider à digérer, il y a des plantes comme la calea zacatechichi qui sont reconnues pour nous aider à voyager dans le monde du rêve. Ensuite, à toi de décider qui tu veux aller voir dans ce monde (proches, parents, amis, inconnus, personnages historiques, personnages imaginaires, maîtres qui sont de bons conseillers, esprits, dieux...). C'est sans limite, c'est enivrant.

- Et ton quatrième truc ?

Décidément je n'arrivais pas à appeler ses formes mal dessinées des cercles !

- Le quatrième cercle en haut à droite c'est la deuxième pratique :

« On peut changer notre vie grâce aux rêves »

En effet pourquoi s'entraîner pendant un mois à voyager dans le monde du rêve si rien ne change dans notre vie diurne ? Autant aller au cinéma, ce sera moins fatiguant et il sera plus facile d'y voir de belles images et de belles histoires. Heureusement, nous pouvons changer notre vie grâce aux rêves et grâce à ce que l'on ramène des voyages dans le monde du rêve. On peut commencer par en parler à une personne de confiance. Je ne propose pas ici d'analyser le rêve, mais de l'utiliser. L'interprétation positive du rêve dans cette vision doit conduire à une action. Ça veut dire que si j'ai vu un lieu en rêve, je peux m'y rendre dans la journée. Si je me suis vu faire une action, ou construire un objet dans le rêve, je peux le faire en « vrai ». Si j'ai pris une décision dans le rêve, je peux l'assumer dans la journée. C'est incroyable ce que ça peut changer la vie ! J'ai fait ça un moment avec le vieux patron. Tu devrais essayer... Et de même que tu peux utiliser les expériences vécues dans le monde du rêve pour transformer ta vie, tu peux utiliser les événements de ta journée pour agir sur tes rêves. Au bout d'un moment c'est comme si la limite entre les deux états et les deux mondes s'estompait.

Son crayon faisait maintenant des cercles, des huit et d'autres courbes en passant d'un cercle à l'autre. Il avait pris tellement d'assurance qu'il s'était mis à me tutoyer. Je le laissai faire. Il m'expliqua encore :

-   Bien sûr ces quatre cercles se croisent, se répondent et s'enrichissent mutuellement dans une sorte de danse des cercles vertueux.

- Le cercle vertueux, c'est le grand cercle que tu as dessiné sur ton schéma et qui entoure les quatre plus petits ?

- Oui. Et pas seulement ! Le grand cercle, c'est ce « je-ne-sais-quoi » qui vient tout mettre en perspective.

« Il y un Rêveur »

Le grand cercle est là pour nous rappeler qu'il y a quelqu'un qui rêve le rêve. Ce rêveur ne peut pas être ma petite personne qui est éveillée la journée, ou mon mental qui pense et calcule, justement car ils sont absents de l'état de rêve tous les deux. Mais alors, qui est le Rêveur ? Une autre sous-partie de moi ? La somme de tous les moi ? Et, après tout, pourquoi serait-ce moi, le rêveur ?

- Je crois qu'il y a un vieux conte chinois qui dit un peu la même chose que toi , ça s'appelle le rêve du papillon. Le rêveur rêve qu'il est un papillon, et en se réveillant, se demande s'il n'est pas plutôt un papillon qui rêve qu'il est lui.

- Excellent. Les neurosciences nous placent elles aussi devant la question du rêveur et de la réalité , imagine que notre cerveau soit en fait placé dans une cuve. Qu'il soit connecté et reçoive tous les stimulis envoyés par un ordinateur pour recréer un monde virtuel dans lequel il croit vivre avec un corps. La question centrale est alors de savoir si ce cerveau a raison de croire ce qu'il croit. C'est le thème de Matrix comme sur mon tee-shirt.

- J'ai eu une professeur de yoga qui parlait un peu comme toi. Je crois qu'en Inde c'est la question de la Maya (le monde perçu comme une illusion).

- Sûrement. Tous les peuples ont leur représentation de cette question. Les aborigènes d'Australie ont aussi une très belle vision sur ce thème , ils racontent que nous sommes tous, et tout le monde qui nous entoure, la simple émanation du rêve d'une simple fourmi à miel. Qu'en dis-tu ?

- Tout cela donne envie d'essayer tes pratiques. Mais toi ? Tu sais qui est le Rêveur ? demandais-je.

Je ne sais pas si Charli avait une réponse, en tout cas, il n'eut pas le temps de me la donner.

J'étais encore un peu perdue dans mes rêveries, c'est le cas de le dire, attendant sa réponse, quand je sursautai.

Le chien roux, qui avait dû me suivre dans la boutique sans que j'y prête attention, s'était précipité vers moi. Je me jetai sur le côté pour l'esquiver. D'un bond, il s'empara de mon sac-à-main posé sur le comptoir. Dans son élan il fila avec son butin dans la gueule vers l'arrière-boutique....

CHAPITRE 6

Je criai :

- Attention, rattrape ton chien ! Il a pris mon sac !

- Ce n'est pas mon chien ! Je croyais que c'était le vôtre. Il vous attendait hier dehors devant la porte et il est entré avec vous aujourd'hui dans la boutique...

Nous n'avions pas le temps de palabrer, je m'élançai vers la porte de l'arrière-boutique à la poursuite de ce chien sans propriétaire, à la poursuite de mon sac, et de son contenu si précieux ; toute ma vie de femme d'aujourd'hui dans ce sac à mains, croyais-je !

En un éclair, c'est comme si j'avais revu tout son contenu ; ce n'était pas seulement ma carte bleue, mes papiers d'identités et mon chéquier que je voyais s'éloigner dans la gueule du chien. C'était des petits secrets intimes aussi, des graines à planter ce week-end avec mon fils d'abord. Mon huile essentielle de vétiver pour la confiance en soi et celle de carotte pour ma peau sensible ensuite. C'était quelques stylos appréciés dont ma douce cleptomanie m'avait fait cadeau. C'était un sac papier contenant de la mangue séchée au cas où. Un bâton d'arack à mâcher pour me laver les dents au cas où. Une culotte sociale, au cas où elle aussi. Mes clés et surtout leur porte-clés boussole qui jusque-là m'avait toujours indiqué la bonne direction croyais-je, et sans laquelle je serais perdue. Une boucle d'oreille en forme de plume et un bouton de nacre, tous deux orphelins. Mes cartes de visites très pro et mon petit miroir à l'incrustation de dauphin. Des mouchoirs en papier et ce roman noir que je ne terminerai jamais. Quelques photos de mes proches également, celle de Kilian bien sûr. Il y avait aussi ce précieux caillou trouvé par mon fils qu'il m'avait donné la veille.

Bref, que de l'irremplaçable. Les traces de ma vie jusqu'à ce jour.

Je trébuchai presque sur Charli.

- Vous ne pouvez pas entrer dans l'arrière-boutique, c'est interdit ! Me dit-il.

Charli me faisait obstruction en pointant du doigt un panneau « *Interdit au public* » surplombé d'une tête de mort et d'ossements. On aurait dit un drapeau pirate dessiné par un enfant, ... ou par Charli.

- Moi-même je n'ai pas le droit d'y entrer ! Ajouta Charli tout penaud, avec son tee-shirt du seigneur des anneaux « *Vous ne passerez pas !* »

Ces remarques n'avaient pas ralenti ma détermination ni mon élan.

Je le bousculai et le dépassai d'un trait.

C'est contre son « Patron » que je me heurtai alors.

Il était là, debout dans l'embrasure de la porte, entre boutique et arrière-boutique, lui qu'on ne voyait presque jamais ici.

Comment avait-il fait pour apparaître là d'un coup dans l'entre-deux portes. Était-il là par hasard ou alerté par le vacarme ?

Quoi qu'il en soit, il me bouchait le passage à son tour. Il était plus déterminé que Charli à faire respecter sa consigne et me retint de ses deux mains.

- Je ne vous autorise pas à entrer ici et vous mets en garde : si vous entrez, je ne réponds de rien de ce qui pourrait vous arriver ! Vous risquez d'être entraînée toujours plus loin et on ne sait où ...

Je l'entendis à peine, je forçai et fonçai. La dernière chose que je crus voir avant de pénétrer en trombe dans l'arrière-boutique, c'est que le tee-shirt que Charli portait maintenant n'était plus le même ! Comment était-ce possible ? Je crus y voir le personnage de dessin animé Buzz l'éclair, celui dont la devise était « *vers l'infini et au- delà* ».

Je trébuchai et fut projetée dans l'arrière-boutique.

LIVRE 2 :

DE L'ODYSSÉE

Le diamètre de l'Aleph devait être de deux ou trois centimètres, mais l'espace cosmique était là, sans diminution de volume. Chaque chose (la glace du miroir par exemple) **équivalait une infinité de choses, parce que je la voyais clairement de tous les points de l'univers.** Je vis la mer populeuse, je vis l'aube et le soir, je vis les foules d'Amérique, une toile d'araignée argentée au centre d'une noire pyramide, je vis un labyrinthe brisé (c'était Londres), je vis des yeux tout proches, interminables, qui s'observaient en moi comme dans un miroir, je vis tous les miroirs de la planète et aucun ne me refléta, je vis dans une arrière-cour de la rue Soler les mêmes dalles que j'avais vues il y avait trente ans dans le vestibule d'une maison à Fray Bentos, je vis des grappes, de la neige, du tabac, des filons de métal, de la vapeur d'eau, je vis de convexes déserts équatoriaux et chacun de leurs grains de sable, je vis à Inverness une femme que je n'oublierai pas, je vis la violente chevelure, le corps altier, je vis un cancer à la poitrine, je vis un cercle de terre desséchée sur un trottoir, là où auparavant il y avait eu un arbre, je vis dans une villa d'Adrogué un exemplaire de la première version anglaise de Pline, celle de Philémon Holland, je vis en même temps chaque lettre de chaque page (enfant, je m'étonnais que les lettres d'un volume fermé ne se mélangent pas et ne se perdent pas au cours de la nuit), je vis la nuit et le jour contemporain, je vis un couchant à Querétaro qui semblait refléter la couleur d'une rose à Bengale, je vis ma chambre à coucher sans personne, je vis dans un cabinet de Alkmaar un globe terrestre entre deux miroirs qui le multiplient indéfiniment, je vis des chevaux aux crins en bataille, sur une plage de la mer Caspienne à l'aube, je vis la délicate ossature d'une main, je vis les survivants d'une bataille envoyant des cartes postales, je vis dans une devanture de Mirzapur un jeu de cartes espagnol, je vis les ombres obliques de quelques fougères sur le sol d'une serre, je vis des tigres, des pistons, des bisons, des foules et des armées, je vis toutes les fourmis qu'il y a sur la terre, je vis un astrolabe persan, je vis dans un tiroir du bureau (et l'écriture me fit trembler) des lettres obscènes, incroyables, précises, que Beatriz avait adressées à Carlos Argentino, je vis un monument adoré à Chacarita, je vis les restes atroces de ce qui délicieusement avait été Beatriz Viterbo, je vis la circulation de mon sang obscur, je vis l'engrenage de l'amour et la transformation de la mort, je vis l'Aleph, sous tous les angles, je vis sur l'Aleph la terre, et sur la terre de nouveau l'Aleph et sur l'Aleph la terre, je vis mon visage et mes viscères, je vis ton visage, j'eus le vertige et je pleurai car mes yeux avaient vu cet objet secret et conjectural, dont les hommes usurpent le nom, mais qu'aucun homme n'a regardé : l'inconcevable univers.

Jorge-Luis Borges, L'Aleph, éd. la Pléiade, Gallimard, 1993, p.662-663

...

C'était un beau dimanche après-midi, pas encore estival et pourtant un parfum d'herbe séchée au soleil se répandait dans toute la campagne. Pierre avait attaché une corde au vieil arbre noueux. Les deux hommes de ma vie, torses nus, jouaient à savoir qui faisait le plus beau cri de tarzan en s'élançant au bout de la corde. Je les ai interrompus dans leurs exploits car j'avais attrapé un criquet. C'est une belle photo de Kilian où il pose fièrement, avec sa musculature de petit bonhomme, en présentant la bête à l'objectif. C'était juste avant l'orage. L'orage entre Pierre et moi. Ce soir-là, quand ça a bardé, j'ai vu Kilian pleurer toutes mes larmes.

...

Une simple et franche poignée de mains pouvait-elle faire office de contrat me demandais-je en sortant de l'entretien. Tout s'était si bien passé que j'avais du mal à y croire. Il y avait même eu promesse, et j'avais rendez-vous lundi pour commencer le job. Mais je n'avais rien signé et j'étais un peu inquiète. Je tripatouillai nerveusement avec ma main gauche le porte-clés-boussole que la secrétaire m'avait remis. C'était l'emblème de la « CNA : Cap-Nord-Assurance », je m'y accrochai comme à une première paye en attendant des honoraires plus conséquents. Je le frottai comme si un génie allait en sortir. Était-ce vraiment mon vœu le plus cher que de travailler dans cette société ?

...

L'autre gamine me dévisageait gravement. Nous devions avoir toutes les deux pas plus de huit ans. Je me demandais de quel côté allait tomber son couperet. Jusqu'alors je croyais que tout le monde mâchait du Siwak naturel, ces fameux bâtons d'arak, parce que c'était bon et que ça faisait des dents fortes et belles, comme m'avait dit mon papa. Son approbation m'aurait peut-être permis de me sentir moins différente ? C'était à une époque où on trouvait encore des bâtons de réglisse en confiserie. Avant que la réglisse ne soit enroulée en bonbons industriels. C'était il y a longtemps !

...

C'est mon amie Dzamïn qui l'avait remarquée la première. La baie vitrée de mon appartement faisait comme un projecteur sur mon visage. Dzamïn, toujours très classe, s'était montrée assez désinvolte pour ne pas m'inquiéter en me tendant un flacon :

- Tu sais pour la rougeur sur le visage, tu devrais essayer l'huile essentielle de carotte.

Moi j'avais pensé : « Poil de carotte »

...

CHAPITRE 7

Une porte claqua derrière moi.

Je me retrouvai comme projetée dans le noir.

J'étais un peu hébétée, le cerveau engourdi en l'absence de tout repère dans ce lieu que je ne connaissais pas. L'arrière-boutique était sûrement beaucoup plus grande que je ne l'avais imaginée. Mes yeux scrutaient l'obscurité sans trouver à quoi se raccrocher. Je n'étais pas rassurée.

C'est là que le bruit commença. Un bruit de machines, de martèlements, de ferrailles tout d'abord. Et d'autres bruits ensuite. Tous plus étranges, forts et inquiétants les uns que les autres. Bruits de battements métalliques assenés rythmiquement, bruits intenses de souffles vaporeux et de puissantes projections magmatiques. Des sons au loin qui emplissaient tout l'espace et résonnaient comme si la petite arrière-boutique était une immense cathédrale. Je n'avais jamais entendu un tel tintamarre, et jamais pensé cela possible dans ce lieu.

Et puis, plus près, tout près de mon oreille, j'entendis le bruit plus familier d'une allumette. Simultanément une bougie illumina le visage du « Patron ».

Je croyais découvrir un visage réprobateur, prêt à me disputer comme une petite fille qui aurait fait une grosse bêtise en entrant ici.

Il n'en était rien, ses yeux étaient brillants, terriblement bienveillants et sa voix douce et accueillante. Je l'avais toujours trouvé très vieux et bougon, j'avais toujours pensé qu'il aurait dû être à la retraite depuis longtemps, d'ailleurs, on le voyait de moins en moins souvent dans la boutique, laissant de plus en plus de place à Charli. Il était plutôt petit et avait depuis longtemps des cheveux blancs. En cet instant et ce lieu, je le voyais différemment, comme s'il avait quinze ans de moins. Maintenant que je le dévisageais de plus près, à la lumière de la bougie, c'était les pointes rousses de ses cheveux, héritées d'une ancienne coloration au henné, qui ressortaient plus qu'à l'habitude. Cela parachevait de donner à son regard une bienveillance et une malice que je ne lui connaissais pas. Un petit regard en coin de renard rusé.

- Bonjour Clarice. Bienvenue ici cher petit papillon.

- Mais où sommes-nous ? Qu'est-ce qui m'est arrivé ?

- Je crois que vous appelez ce lieu « *l'arrière-boutique* ». Moi je parlerais plutôt de la Forge, ou de l'Athanor vu ce qui s'y passe.

- Mais qu'est-ce qui m'est arrivé ?

- Ouh là là ! Tellement de chose ! Justement, jusqu'à maintenant, beaucoup de choses vous sont arrivées. Mais ce n'est peut-être pas le plus intéressant, je trouve ; des choses vous sont arrivées effectivement, comme cela, sans y penser : vous êtes née, vous avez été conduite à la crèche, puis à l'école pendant des années alors que vous étiez enfant. Il vous est même arrivé d'y avoir de bonnes notes... Puis les études sont arrivées à leurs fins, et un compagnon et un travail vous sont arrivés aussi. Puis un enfant est arrivé à son tour. Une chose qui arrive en entraînant une autre, comme dans cette grande machinerie tout autour de nous... Alors il est arrivé que le compagnon vous a quittée et que le travail et l'enfant soient restés... Ce qui est étonnant c'est que tout cela vous soit arrivé, avec si peu de choix personnel...

- Je ne parlais pas de ça, je voulais dire : qu'est-ce qui m'est arrivé à l'instant ? Il y a une minute j'étais encore dans la boutique avec Charli et vous qui m'interdisiez d'entrer...

- Je ne vous ai rien interdit du tout pour ma part ! Je vous ai simplement mis en garde et ne vous ai pas autorisé à entrer ici ! C'est différent. Voyez-vous la différence entre « interdire » et « ne pas donner l'autorisation de » ? Ainsi, c'est vous qui avez fait votre choix. Voyez-vous, personne ne peux vous autoriser à entrer ici, c'est une autorisation que vous devez prendre par vous-même. Cela dépend de votre capacité à déployer votre pouvoir personnel. Félicitations ! En entrant ici c'est un peu comme si vous aviez fait un premier pas pour choisir votre propre vie plutôt que de laisser les choses arriver.

- Mais qu'est-ce que c'est que ce raffut ?

- Vous avez peur Clarice ?

- Évidement que j'ai peur. Je ne comprends plus rien à ce qui se passe.

- C'est très bien Clarice. C'est une étape importante que de reconnaître sa peur.

Mes yeux qui s'habituaient à la semi-obscurité et à la lueur de la bougie commençaient à percevoir quelques formes. Je devinai là tout un fatras de machineries en mouvement, de désordre bringuebalant, d'outils biscornus, de charbon et de suie. Par moment cette horlogerie infernale ouvrait ici une bouche aux rougeurs incandescentes et aveuglantes, ou là une autre aux vapeurs stridentes, puis nous étions immédiatement plongés à nouveau dans la quasi-obscurité. Rien à voir avec ce que j'imaginais être l'arrière-boutique d'une échoppe de téléphone. Bien sûr que j'avais peur !

- Rassurez-vous Clarice, vous êtes foutue !

Comment ça foutue ? Mais qu'est-ce qu'il me racontait ce vieux fou ? Je sentis mes peurs se transformer en angoisses en un instant. Où étais-je tombée ? Qu'est-ce que c'était que ce vieux bonhomme ? Un dangereux psychopathe ? J'avais envie de crier, de fuir, mais la peur me paralysait.

Mon visage devait être blême et transpirer les affres de la panique, car immédiatement « le Patron », tout sourire, se voulut rassurant :

- Vous savez, cher petit papillon, je dis juste que quand on reconnaît ses peurs, on est foutu, c'est à dire qu'on va immanquablement à leur rencontre, pour leur faire face... Je dis juste qu'en vous jetant ici de tout votre élan, il n'y a plus pour vous de retour en arrière possible. Juste un nouveau chemin qui s'ouvre à vous. C'est de cela que j'ai essayé de vous avertir devant la porte...

Je n'étais qu'à demi rassurée...

- Pourquoi vous m'appelez papillon ?

- N'est-ce pas un joli papillon rouge que vous portez sur votre visage et qui grandit de jour en jour ?

- Vous vous moquez de moi ? Je souffre d'une maladie auto-immune qui me déforme

- C'est intéressant ça !

- Comment pouvez-vous dire cela ? C'est horrible ! D'ailleurs je suis horrible, dis-je en me détournant par réflexe pudique.

- Savez-vous que nous sommes très complices Charli et moi. Et depuis quelques temps, il me dit combien il s'inquiète de vous voir de plus en plus triste et stressée à mesure que la tache sur votre visage grandit. Hier, après la fermeture de la boutique, il m'a dit que vous aviez sûrement un plus gros problème que simplement un téléphone à faire réviser. Je crois que Charli vous apprécie beaucoup.

- Hier, le diagnostic est tombé. Je souffre d'un syndrome de Gougerot-Sjögren avec un lupus érythémateux.

- Quels jolis noms. Tout un poème !

- Je n'ai pas envie d'en parler avec vous, et encore moins d'en rire.

- Et c'est grave ?

- Oui, un peu ! ... Pas trop ! ... Je ne sais pas ! ... Ça ne vous regarde pas... Mais puisque vous voulez tout savoir ça me gêne énormément et chaque jour un peu plus. Ce satané syndrome diminue toutes mes secrétions, et il fait que je n'ai presque plus de salive pour parler et encore moins de larmes pour pleurer.

- Et ça vous dérange ?

- De ne pas trop pouvoir parler ?

- Non ! De ne pas pouvoir pleurer à grosses larmes ?

Je trouvai sa question étrange, et ne voulus pas répondre. Je préférai enchaîner :

- Et le lupus, c'est cette plaque rouge sur mon visage qui grandit et dont vous vous moquez.

- Je ne me moque pas le moins du monde ! Je ne suis pas assez téméraire pour me moquer du loup ! Lupus, ça parle de loup ?

- Oui je crois. Pourquoi ?

- C'est de cela que vous parliez au téléphone devant la boutique hier soir ?

- Charli vous raconte toujours tout ainsi ? M'enquis-je un brin agacée.

Il répondait rarement à mes questions, et préféra m'interroger encore :

- Pourquoi avez-vous dit à votre interlocuteur que tout allait bien alors ?

- Je ne sais pas moi ! Comme ça ! Comme on fait toujours, pour ne pas inquiéter les gens.

- Et vous essayez souvent, comme ça, de ne pas inquiéter « les gens » ? Ça doit être très fatiguant! Moi j'essaye déjà de ne pas trop m'inquiéter moi-même et c'est déjà prenant ! Je vous trouve attendrissante à vouloir si bien faire ainsi, d'ailleurs je crois que j'ai quelque chose pour vous et votre Lupus ...

Son ton professoral m'irritait. Je me demandais bien pourquoi je continuais à l'écouter et comment je m'étais mise dans cette drôle de situation.

- Vous vous prenez pour mon médecin maintenant ?

- Ah ça non ! En tous cas, pas au sens où vous l'entendez... Dit-il en s'éloignant.

Le patron disparut un instant derrière une grosse machine qui vibrait et émettait des étincelles tous azimuts. Caché derrière la machine, il grommela, fit un grand bruit et grommela encore, comme s'il s'était coincé les doigts.

Mon téléphone vibra. C'était « mon » expéditeur inconnu. Je l'avais presque oublié celui- là.

> *« à ce jeu de dupe*
> *ne se cache pas qui l'on croit*
> *oh ! dévoilement »*

Je cherchai encore un sens à ce message quand le patron revint de derrière je ne sais quoi, tenant dans une main une boite de crayons et dans l'autre un masque en carton qu'il me tendit.

- Tenez !

- Mais que voulez-vous que j'en fasse ?

Je l'avais apostrophé sur un ton sec. J'avais presque aboyé, en pensant qu'il me proposait de cacher ma difformité naissante derrière ce masque. Tu parles d'un cadeau ! Si j'avais pu le mordre.... D'ailleurs, en parlant de mordre, je me demandais bien où était passé le chien qui s'était emparé de mon sac. Je scrutai alentour pour retrouver mon voleur roussâtre...

Le vieux patron insista :

- Je vous propose de colorier ce masque évidement...

- Et vous croyez que je vais le colorier et me cacher derrière, comme une lépreuse, pour vous faire plaisir ?

Interloqué, il rit de ma remarque :

- Je n'ai jamais cru cela un seul instant ! Vous avez une sacrée imagination.

Il rit encore un peu de mon indignation, sans que cela soit le moins moqueur, et de continuer sur son idée :

- Savez-vous simplement comment on appelle ce type de masques ?

Je lui pris le masque des mains, l'arrachai presque et l'observai. C'était un masque blanc cassé beige, tout ce qu'il y a de plus banal qui ne cache que le pourtour des yeux et laisse apparaître la bouche avec sa forme allongée horizontale.

- Un loup, je crois. C'est bien ça ? Bravo pour le jeu de mot : loup/lupus... mais je ne vois pas où vous voulez en venir...

- Ce masque, dit-il, s'appelle en réalité : « Persona ». A l'origine c'était les acteurs dans le théâtre grec ou romain qui le portaient. Ce qui leur permettait de jouer toutes sortes de « personnages » justement. Je ne vous propose pas de mettre ce masque pour vous cacher. Je vous propose au contraire de le colorier à votre guise pour qu'il vous aide à vous révéler. Dans les anciennes traditions chamaniques, il y a mille et une façons d'utiliser un masque. L'une d'elle est de façonner ce masque à votre convenance, en laissant s'exprimer spontanément votre créativité, pour révéler qui nous sommes réellement, profondément, au-delà des apparences physiques, des habitudes et des fonctions sociales. On retrouve partout sur terre de ces grands masques figuratifs ou non, souvent liés à des esprits. Ils peuvent être un élément important pour certains rites de passage. Dans ce cas, **construire un masque chamanique c'est préparer un objet de pouvoir chamanique**, c'est-à-dire un objet qui nous permet d'accroître notre pouvoir personnel. Il ne s'agit pas d'acquérir du pouvoir sur les autres, mais de mieux se connaître soi-même, se découvrir plus totalement, sous tous ses aspects véritables, et de pouvoir ainsi, mieux oser ses choix de vie personnels. C'est un véritable acte que l'on pourrait qualifier de Psycho-magique !

Contre toute attente, pendant qu'il me donnait ces quelques explications, j'avais déjà commencé à griffonner de façon mécanique sur le masque. J'avais agi de façon automatique comme certains font machinalement parfois quand ils sont absorbés dans une conversation téléphonique ou rêveurs dans une réunion ennuyeuse. J'avais commencé à strier le masque à grands coups de traits rouges épileptiques. J'eus même l'impression qu'au fur-et-à mesure que le masque rougissait, la lumière augmentait un peu dans l'arrière-boutique-forge.

« Le Patron » continuait son explication, pendant que je gribouillais de plus belle :

- Depuis que vous venez dans ma boutique, et plus encore depuis que nous sommes tous- deux dans l'arrière-salle, je vous ai vue et entendue porter successivement et même parfois simultanément beaucoup de masques sociaux : la professionnelle, la compagne, la mère, la femme active, la bonne copine, etc … je vous ai vue et entendue vous cacher derrière le masque de celle qui essaye de bien faire, de celle qui veut bien répondre aux attentes, de celles qui ne veut pas inquiéter ou déranger les autres… Je vous ai déjà vue avec de nombreux masques. Et je ne parle pas là de votre Lupus… Mais m'avez-vous laissé voir un seul instant votre vrai visage ?

Je l'écoutai. Il y avait du vrai dans le discours de ce vieux fou. Je me mis à griffonner plus frénétiquement encore et lui rétorquai cependant :

- Si vous sortiez de temps en temps de votre boutique vous sauriez que tout le monde fait comme ça, que l'on ne peut pas faire autrement. C'est la vie !

Je soupirai. Je *(pris)* choisis d'autres crayons de couleur.

Il prit un air théâtral et leva son index comme s'il allait me révéler un grand secret :

- **Il y a toujours une autre façon de faire les choses !** Déclama-t-il.

Je ne sais pas pourquoi, mais il m'inspirait de plus en plus confiance, aussi je me risquai à lui dire :

- Moi je ne sais pas faire autrement que de jouer mes rôles, que me cacher derrière toutes ces fonctions sociales. A force je ne sais même plus qui je suis et ce que je veux vraiment…

- C'est donc de cela que vous avez peur ? Découvrir qui vous êtes vraiment ? Totalement ?

Les machines s'arrêtèrent alors toutes de concert, comme si elles avaient attendu mon aveu pour se taire. Le calme, enfin ! Je regardai le masque que j'avais presque fini de barbouiller sur toute sa surface. Il était maintenant principalement rouge, comme mon lupus. Mais sans y prêter vraiment attention, j'avais ménagé des espaces dans cet océan rougeâtre. Çà et là il y avait du noir et du jaune or qui *faisaient (dessinaient)* comme des constellations étoilées. J'aimais bien ce résultat inattendu. Chaque point noir ou jaune faisait comme une pépite, et me remplissait d'espoir et de force. Je me perdis encore un instant dans la contemplation de mon œuvre picturale et soupirai, d'aise cette fois...

C'est alors seulement, en levant les yeux que je remarquai, à quelques pas sur ma gauche, sous une sorte d'établi bancal, mon voleur de chien qui me fixait de son regard attentif.

Il était ... comment dire ... différent !

CHAPITRE 8

Je n'en croyais pas mes yeux ! Je fis un effort pour tendre le bras en direction de l'animal, lentement, pour alerter le patron.

- Regardez... le chien...

Il tourna son regard dans la direction que je lui indiquais.

- Quel chien ? Je ne vois pas de chien, me répondit-il tranquillement, comme si tout était normal pour lui.

Effectivement, l'animal était toujours de la même couleur rousse, il tenait toujours dans sa gueule le sac qu'il m'avait chapardé. Pas de doute possible, c'était bien lui. Mais à bien y regarder maintenant, il me paraissait évident que son museau fin et allongé, sa barbichette blanche, et sa grande et belle queue touffue le rangeait inévitablement plus dans la famille des goupils que dans celle des canidés. Comment n'avais-je pas pu le remarquer plus tôt ?

C'était incroyable pour moi, cela semblait banal pour le patron :

- Mais vous avez vu ? C'est un renard ! C'est dingue ça, il y a un renard dans votre atelier !

- Oui, il y a un renard dans ma forge. Et je suis content que vous le voyez enfin ! Il est vrai que l'**on ne voit que ce que l'on est capable de croire**. Et ce n'est pas n'importe quel renard, c'est «ton» renard !.

C'était la première fois que le patron me tutoyait à son tour. Je n'y prêtai pas vraiment attention. Il en prit vite l'habitude.

- Pourquoi dites-vous que c'est « mon » renard ? Qu'est-ce qu'il fait là ? Il n'a même pas l'air apeuré ! Vous l'avez déjà vu par ici ?

- Il est là pour t'aider bien sûr !

- M'aider ?!... En me volant mon sac ? Vous parlez d'une aide !

- Pas seulement.

Je m'étais approchée prudemment de l'animal. J'étais comme fascinée par la bête et par sa présence sauvage, tranquille et surréaliste. Je n'avais pas lâché mon masque rouge dans ma main gauche. Ma main droite, elle, était prête à saisir mon sac au cas où le renard aurait lâché sa proie, ou prête à me protéger le cas échéant. Je n'eus l'occasion ni de l'un, ni de l'autre. Le renard, puisque je me résolus à le reconnaître comme tel, déguerpit sous une pile de cartons entreposée derrière l'établi.

- Aidez-moi. Il ne faut pas qu'il se sauve encore une fois avec toutes mes affaires.

- Jusqu'où es-tu vraiment prête à le suivre ? À suivre le chemin qu'il t'a ouvert ?

Je dégageai à la hâte quelques cartons, tout en gardant la prudence de mise. Le patron ne m'aidait pas. Au bout d'une douzaine de cartons écartés je compris où avait filé l'animal. Il y avait là un trou béant, un noir profond, une ombre insondable.

- Vous saviez qu'il y avait un trou ici ? Ça conduit où ?

- Qui sait ?

- Mais aidez-moi bon sang !

- Tu as trouvé un bien meilleur allié que moi pour t'aider et poursuivre ton histoire.

- Mais de quoi me parlez-vous ?

- Le renard t'attendait dehors, n'est-ce pas ? Puis, avec son larcin, il t'a entraîné jusqu'ici... on dirait qu'il te propose de plonger plus profondément dans l'ombre maintenant.

Les propos énigmatiques du vieil homme me laissaient de marbre. De façon beaucoup plus pragmatique, je pris la bougie qu'il avait allumée tantôt et l'approchai de l'obscurité.

- Écoute-moi encore une fois avant de t'enfoncer dans l'ombre. Je crois qu'il est important que tu regardes le renard d'un autre œil avant d'aller explorer le « monde du bas », il pourra t'être un allié précieux dans cette ombre.

- Mais bon sang , qu'est-ce que vous entendez par « Monde du bas » ? Vous, savez-vous ce qu'il y a dans ce trou ?

- C'est différent pour chacun. Mais je crois que ton renard saura mieux que moi t'aider de l'autre côté si vraiment tu veux t'y engager. Sais-tu que de là d'où je viens, on aide chacun à rencontrer celui qu'on appelle son « **animal totem** », avant de plonger dans le monde du bas. Il ne s'agit pas seulement de savoir quel est la race ou le nom de ton animal totem, il s'agit de tisser une relation, de l'amitié, de la connivence, une véritable alliance dont peut naître l'entraide, le respect et, qui sait, une certaine forme de complicité et d'amour.

- Vous n'en faites pas un peu trop là ? Il y a juste un animal qui m'a chapardé mon sac et qui se cache dans un trou.

- C'est une façon de voir les choses qui ne t'aidera pas là où tu t'apprêtes à aller.

- Vous voulez que je fasse quoi ? Que je lui parle, que l'on s'apprivoise, comme dans l'histoire du « petit prince » ?

- Ça pourrait être un bon début, mais nous n'avons pas le temps de « revenir chaque jour à la même heure » et serait-ce sincère de ta part ?

- Alors quoi ? Dis-je en cherchant la fonction « lampe de poche » sur le vieux téléphone, bien-sûr trop désuet pour avoir cette option de base ! Je pensais quand même que la luminescence de l'écran me serait sûrement un meilleur allié que les palabres du « patron », et plus facile à utiliser que la bougie.

Alors que je m'avançai jusqu'au bord de l'abîme, le patron mit sa main sur mon épaule :

- Fais un pas vers lui, il fera un pas vers toi !

Je ne savais pas si sa main était sur mon épaule pour me retenir, me rassurer ou me pousser dans l'ombre.

Je basculai.

Le téléphone vibra. Je lus encore :

Expéditeur inconnu :
« *Il court loin devant*
le renard trace à grands traits
sa voi(e)(x) tu suivras »

Je tombai comme au ralenti.

Le téléphone vibra. Je lus encore :

Batterie 0 % : Extinction

CHAPITRE 8 3/4
beaucoup plus bas que le chapitre 8)

Rien !
Pas si profond que ça, pensais-je...
pas même d égratignure, même pas mal,
fière de moi.
...
Et pourtant ça continue de tourner...
dans ma tête ?
De chuter ?
On n'est pas dans un dessin animé !
Je ne vais pas traverser la terre et ressortir de l'autre
côté quand-même !
Ou pire me retrouver en enfer ?
Griller en enfer ?
Ça craint
je n'aurais pas dû !
Je commence à flipper
...
là ... j'ai senti du mouvement... ça doit être le renard
et si c'était autre chose ?
Ça à l'air plus gros ! plus fort , plus grand !
Ça souffle comme un bœuf...
comme un grizzly, comme un dragon...
HHHHHHAAAAA !!!
C'est quoi ce truc qui m'a fait sursauté ?
Ça craint ! Je commence vraiment à flipper
Mais qu'est-ce que c'est que cette bestiole.
Rassure-toi, les monstres ça n'existe pas !
Hein, tu sais bien que ça n'existe pas ?
Et la aussi, derrière, il y a autre chose !
Partout !!!
je suis entourée
encerclée
il y en a plein

mais qu'est-ce que c'est que cette horreur !!!!!
AAAAAHHHH
AU SECOURS
AIDEZ MOI
J'AI PEUR
ils sont là ! Partout !
Ils m'entourent, vont m'attaquer
je vais crever ici
ARGGGGGGGG !!!
Je me suis fait mordre
ils me dévorent !!!
HHHHHHAAAAAAAAA
A L'AIDE
ça recommence
NOOOOON !!! JE NE VEUX PAS !!! NON !!!
Ils me croquent à nouveau
et c'est comme s'ils me vomissaient en même temps
toujours dévorée, digérée, expulsée... sans fin
ça s' accélère
et les vers qui continuent ma putréfaction
ARRRGGG !!!
HORREUR
le temps
sans fin
sans moi
désespoir
PITIE !
...

OUI

Y a quelqu'un ?
Au secours aidez-moi, faites-moi sortir de là
ne me laissez pas là
je n'en peux plus

CALME-TOI

C'est vous patron ? Charli ?
Sortez-moi de là je vous en supplie,
j'ai peur

TU NE POURRAS PAS SORTIR AVEC TA PEUR

Aidez-moi !
Je vous en supplie...
(longs sanglots)

VIENS A MOI

ECOUTE MON CHANT

Où êtes-vous ?

...

je l'entends

Merci

Je fais un pas vers toi

Je me rapproche de...

... nous ...

CHAPITRE 9

J'étais allongée.

Le renard était là, tranquillement, à côté de moi. Il me surplombait et regardait devant lui fixement, comme si les murs ne pouvaient pas arrêter son profond regard vers le lointain.

Le patron aussi était là. Il m'aida à me redresser. A m'asseoir.

Je reconnaissais l'arrière-boutique autour de moi. Je percevais toute cette machinerie presque comme rassurante maintenant. Le trou béant avait été recouvert d'un carton.

- Ca va ? Me demanda le patron

- C'est vous qui chantiez ?

- Tu l'as donc entendu chanter ! Magnifique !

Le renard regardait au loin et moi je ne le regardais plus de la même façon.

- Quand j'étais perdue dans toute cette ombre, et que je ne savais plus à quoi me raccrocher, il y a eu une voix. La vôtre ? La mienne ? Celle du renard ? Comment savoir... C'était comme un chant, avec de l'écho et des harmoniques...c'est ce chant qui m'a permis de revenir ici

- Je sais

- Je ne sais même pas votre nom

- Cramh, Eclair Cramh. Il avait dit cela à la manière de Bond, James Bond et semblait satisfait de son petit effet.

C'était un drôle de nom, mais je n'étais plus à cela près. Et puis le nom « éclair » allait bien avec le pétillement dans ses yeux bleu-gris fatigués et pourtant pleins de vie. Moi je lui étais reconnaissante, à lui, au renard, ou à la partie de moi qui m'avait fait sortir de ce trou. J'avais cru devenir folle. J'étais comme une quasi-noyée au bord de la piscine d'où elle a été extirpée juste à temps, et qui reprend son souffle. Je ne regarderai plus la folie mentale de la même façon désormais. Quand je pense que j'avais traité Eclair Cramh de vieux fou ! D'ailleurs peut-être même que je ne regarderai plus tous les vieux de la même façon, et qui sait plus les jeunes non plus... je sentis que mon regard se portait désormais différemment vers les autres, et vers moi même.

- Il faudra que tu y retournes. Et même que tu y retournes souvent. S'excusa presque d'avance le vieil homme.

- Qu'est-ce que vous me dites-là, je ne veux jamais remettre les pieds là-dedans ! C'est hors de question.

- Et pourtant... tu te souviens quand je t'ai dit que tu étais foutue ?

- Oui, et alors ?

- Qu'as-tu ressenti en bas ?

- Uniquement de l'obscurité, de l'horreur, de la peur

- Dis m'en plus si tu veux bien.

- C'était rempli de toutes sortes de « monstres » plus effrayants les uns que les autres

- Tu les as vu ?

- Non mais je les ai sentis, c'est comme s'ils me dévoraient sans cesse

- Intéressant !

- Vous n'avez donc aucune compassion ?

Le renard s'approcha un peu, il semblait flairer l'air autour de moi. Voyant cela, le vieil homme me demanda :

- Et que ressentais-tu devant ces « monstres » ?

- C'était comme si, en plus de la frayeur, je ressentais de la honte d'avoir peur. A d'autres moments, j'étais comme traversée par toutes sortes d'émotions, plus fortes et dérangeantes les unes que les autres, des pulsions terribles...

- Tu as senti de la colère par exemple ?

- Oui ! Contre vous... de m'avoir laissée dans ce trou !

- C'est bien... quoi d'autre encore ?

- C'est vrai maintenant que vous le dites, il y avait aussi du désespoir de la peur d'être abandonnée, de l'humiliation aussi parfois, du dénigrement, de la folie, toutes sortes de petits arrangements et de compromissions avec moi-même et les autres, des secrets bien cachés, beaucoup de honte refoulée, mais aussi des désirs fous, des instincts féroces...

- Très bien ! Tu vois, tu ne fais que commencer l'exploration. T'es-tu déjà demandée si le soleil lui-même avait une ombre ?

- ...

- En tous cas, on peut dire que c'est lui qui les projette toutes et les révèle toutes. Tu devras retourner souvent là-bas avec la seule lumière de ta conscience, et ton renard comme guide.

- Mais pourquoi voudriez-vous que je retourne là-dedans ?

- A ton avis, quels étaient les points communs à tous ces monstres ?

- Ils étaient dans le noir

- Oui, mais encore

- Ils étaient, terribles, et puissants ... terriblement puissants !

- Effectivement, c'est pourquoi je t'ai mis en garde ! C'est pourquoi certaines traditions et certaines religions nous mettent en garde, ou nous exhortent à ne pas descendre par là. Cela dans le but louable de nous protéger de ces terribles puissances ! Mais imagine si tu es assez « folle », comme moi, pour oser les côtoyer de temps en temps...

- Vous connaissez vous aussi ces « monstres » ? Vous voulez dire que vous les avez apprivoisés ?

Le vieil homme regarda le renard, à moins que ce ne fût l'inverse.

- Ce serait tellement dommage de les domestiquer. Heureusement je ne pense pas que cela soit possible. Reste la solution du plus grand nombre, l'évitement...

Je commençai à comprendre. J'avais une grande tante un peu bigote. Elle se croyait une sainte et passait son temps à médire et critiquer les autres. C'était pratique de regarder les défauts des autres pour se faire croire ainsi que l'on garde la tête haute et les mains propres... Je chassai bien vite son image de ma tête pour ne pas médire sur son compte à mon tour... J'invitai le vieux Cramh à poursuivre :

- Et ?

- Il y a aussi la solution des téméraires, s'approcher sans crainte, sans respect, tout empli de son arrogance et de sa suffisance... et disparaître, immanquablement broyés par ces formidables puissances, ivre de soi-même, comme nous l'avaient prédit tous ceux qui nous avaient mis en garde. Ou pire, en devenir leur jouet ! Cela doit sûrement te faire penser à des personnes quand je dis ça, non ?

J'avais bien en tête quelques personnes croisées ici et là et qui laissaient libre cours à leur violence et leurs pulsions, mais c'était heureusement rare dans mon entourage. Je pensai cependant à ce petit chef qui nous mettait la pression et se croyait ainsi charismatique. Est-ce de cela que me parlait le patron ? Il y avait aussi ce coureur de jupon, m'avait-il attrapé ? Il se croyait libre alors qu'il était juste esclave de ses pulsions.

Il devait bien y avoir une troisième solution ! Je commençai à connaître les simagrées du viel Eclair Cramh.

- Ne m'avez-vous pas dit vous-même qu'il y a toujours une autre façon possible de faire les choses ?

- C'est vrai. On dit aussi qu'il y a une possibilité pour les audacieux et les fous au grand cœur, jouer à chevaucher le dragon, dit-il en riant encore. Mais c'est s'avancer là sur un chemin plus étroit que le tranchant d'une lame.

Était-ce sur cette lame, entre peur et puissance, entre folie et arrogance, entre Charybde et Scylla, que j'avais avancé à tâtons dans le noir tout à l'heure ?

Songeuse, sans réponse, je regardai fixement le renard devant moi. J'avais envie de le caresser. Il recula d'un pas.

-Il a peur de moi ? Pourtant à la fin, j'étais tellement proche de lui, qu'il me semblait qu'il n'y avait plus de différence entre lui et moi. Que nous ne faisions plus qu'un...

- Il existe une crainte emplie de respect pour ce que l'on ne connaît pas, et ne connaîtra jamais totalement. C'est très différent des peurs que tu évoquais juste avant ! Cette crainte respectueuse nous tient chacun à la juste place, et nous permet de plonger les yeux l'un dans l'autre à la juste distance.

- Comme deux amoureux ?

- Comme deux amoureux ! Peut-être même encore plus proche ... qui sait ?

- J'ai envie de le remercier... Comment faire si je ne peux pas le caresser ?

- Écoute sa demande. Remercie-le avec ce qu'il te demande, plutôt qu'avec ce que tu as envie de lui donner.

- Je crois que je ne pourrai plus jamais regarder un renard de la même façon

- C'est un bon début. Aide tous les renards, ceux qui sont braconnés, ou dont le milieu naturel est en danger

- Prendre soin des autres renards, de toute l'espèce, ça peut être une façon de remercier « mon » renard ?

- Bien sûr.

- Je sens que j'ai envie d'aider d'autres animaux aussi.

- C'est une belle façon. Ce sera ta façon de le remercier, de lui faire offrande de ton temps et de ton énergie pour le moment. Viens avec moi, j'aimerais te faire un cadeau avant que tu ne partes d'ici...

CHAPITRE 10

Je suivis Cramh dans son atelier. J'étais curieuse du cadeau et impatiente de sortir d'ici. Le renard nous devançait. J'avais beau regarder autour de moi, je ne retrouvai nulle part l'entrée. Il me sembla plutôt que nous nous enfoncions plus encore.

Le Renard et Eclair Cramh s'arrêtèrent devant une grosse porte en fonte qui me faisait penser à un coffre-fort.

Son cadeau devait avoir une immense valeur pour être ainsi protégé par une porte métallique si épaisse.

- Tu es prête ?

- Je dois vous avouer que je ne sais plus très bien à quoi m'attendre avec vous, ici, maintenant.

- Voilà mon cadeau dit-il en déployant toute sa force pour ouvrir cette lourde porte protectrice et réticente.

La lumière immédiatement me fit fermer les yeux. La chaleur ensuite me fit faire un pas en arrière. Un feu ardent emplissait le four que j'avais pris pour un coffre-fort.

- Voilà mon bien le plus précieux, celui que je ne possède ni ne maîtrise, mais que je sers de mon mieux : voilà le feu. Laisse-moi te faire ce cadeau, moi qui ne suis qu'un simple gardien du feu. Laisse-moi partager avec toi **l'Initiation du Feu**.

C'était donc ça son trésor ! C'était donc ça son cadeau ! J'étais bien embarrassée une fois encore. Il rit un peu devant mon air hébété.

Il prit un tisonnier en fer forgé qui se trouvait à côté de la fournaise et commença à dessiner une figure dans la cendre étalée juste devant le brasier incandescent.

Cela ressemblait à un grand triangle d'un peu moins d'un mètre. Le triangle avec sa base solide posée vers nous, et sa pointe vers le feu ardent. Dans ce grand triangle il dessina un autre triangle, plus petit, tête bêche. Il corrigea un peu un angle pour mieux équilibrer les deux triangles.

- Voilà, dit-il. J'ai fait de mon mieux.

- Qu'est-ce que c'est ? Juste deux triangles ?

- Ce n'est que le symbole que j'ai tracé à même la cendre. L'initiation commence maintenant pour toi.

Il me poussa au centre du triangle qu'il avait tracé à même le sol. La fournaise était pratiquement intenable à cette distance. Immédiatement, par réflexe, je me recroquevillai et baissai la tête automatiquement pour protéger mon visage de la chaleur rayonnante.

- Voilà **le premier enseignement du feu : le feu est plus fort que toi !** C'est le premier côté du grand triangle, point vers le feu. Souviens-toi, il est des puissances, des énergies, des éléments, des forces infiniment plus fortes que nous. Ce sont des forces titanesques qui nous dépassent, et devant lesquelles nous ne pouvons que nous incliner, baisser humblement la tête. Tu en as eu un aperçu dans le noir tout à l'heure, mais ces forces existent partout.

Je pensai aux « monstres » rencontrés dans le monde du bas, je sentis la chaleur me faire suffoquer. Dans un premier soubresaut, instinctivement, je m'étais recroquevillée devant le feu en entrant dans le triangle. Dans le prolongement de ce mouvement, je mis genoux à terre et m'inclinai encore un peu plus, tout naturellement. Je ne me protégeai plus seulement de sa chaleur, je m'inclinais devant le feu et toutes les énergies et puissances qui me dépassaient et que je reconnaissais maintenant tout autour de moi.

- Tout est puissance, forces, et énergies. Même la science nous dit cela à sa manière quand elle nous démontre que E=MC2. Au-delà de la notion de bien et de mal, d'ombre et de lumière, tout est énergie.

Le rayonnement qui me traversait puissamment m'emplissait de courage, et de joie maintenant.

Les yeux vers le sol, je vis mon masque rouge et ses constellations noires et or. Il avait dû tomber de ma poche quand je m'étais agenouillée de la sorte. Eclair Cramh l'avait vu aussi. Il me dit :

- Je pensais que tu en aurais besoin plus longtemps. Mais s'il est tombé ainsi, en cet instant, dans le grand triangle de l'initiation du feu, peut-être pourrais-tu l'offrir au feu ?

J'avais déjà repris le masque et m'apprêtait à le glisser plus profondément dans ma poche. C'est que je l'aimais bien mon masque maintenant. Je voulais le garder pour le montrer à Kilian. Peut-être même que lui aussi pourrait faire son masque de vérité ? J'étais sûr que cela lui plairait.

- Mais Monsieur Cramh, c'est vous qui m'avez fait faire ce masque. Vous m'avez dit qu'il était important pour moi, que c'était un objet de pouvoir. Et maintenant que je commence à le trouver beau, que j'ai compris son utilité et son importance pour moi, que je ne me cache plus, que je m'y suis attachée, vous voudriez que je le brûle ?

- Ce sera là le deuxième coté du triangle pour toi, **le deuxième enseignement du feu : brûler sans compter.** Le feu se nourrit en brûlant ce qui l'entoure, ce qui le constitue, sans pouvoir faire de réserve. Puissions-nous apprendre à vivre comme lui, intensément, à vivre totalement sans vouloir retenir à soi. Offre à lui, à la vie, à d'autres, à qui tu veux... mais toujours : offre le meilleur ! Aujourd'hui offre lui ton masque auquel tu tiens car tu l'a décoré avec passion.

- Mais...

J'avais protesté par réflexe, mais j'avais compris. Ma main approcha le masque du brasier qui me semblait redoubler d'ardeur. C'était comme si les flammes venaient le lécher. Je lâchai le masque, l'offrit. Il ne toucha jamais le sol car il se consuma presque instantanément.

Brûler sans compter, c'est aussi faire preuve de courage comme tu le fais depuis tout à l'heure, affronter l'ombre, vivre totalement ce que l'on est, apprendre à vivre en nous consumant totalement...

Je retirai promptement ma main devant la chaleur insoutenable. Ce faisant, mon coude raccrocha le bord métallique brûlant du four, de l'athanor. J'entendis le bruit que fit la chaire sur une plaque chauffée au rouge avant de sentir la douleur.

- Waoooooouh !

Je m'étais brûlée ! Je tournai le coude vers mon visage, vérifiant l'importance de la brûlure. Je vis une belle petite cloque et sentis l'odeur de ma peau cramoisie.

Eclair Cramh ne vint pas s'enquérir du degré de ma blessure. Il guettait ma réaction. Je vis que la brûlure était superficielle. Je lui fis signe que ça allait. Il se baissa. Ramassa un peu de cendre tiède dans sa main. Elle lui filait entre les doigts, il dit alors simplement :

- Dur apprentissage que le troisième côté du triangle, **le troisième apprentissage du feu : il est le grand dévoreur qui consume tout.** Et ainsi il nous remet constamment à notre humble place, en attendant de passer, de mourir et de devenir comme cette cendre. Il prend à la base large du triangle les éléments de la matière, et en s'élevant vers sa pointe, tout feu, tout flamme, mange et transforme tout pour le dématérialiser, le rendre invisible, le rendre plus subtile. Quand le feu transforme la matière en pur esprit, on appelle cela la sublimation.

- Ça va j'ai compris. Merci. C'est bon, je suis remise à ma place.

Je sentis que j'avais un peu envie de pleurer. Ce n'était pas tant la douleur que l'intensité de tout ce qui m'arrivait. Mais bien sûr mes larmes étaient séchées et rien ne coula. J'allai me lever pour sortir du triangle mais Eclair Cramh ajouta :

- C'est à cette étape que l'on peut se demander « qui consume qui ? », « qui prend soin du feu ? » et « comment prendre soin du feu, sans qu'il ne s'éteigne, sans qu'il nous dévore ? ».

Je m'interrogeai et ne sus que répondre. Eclair Cramh ne s'enquit pas de savoir si j'avais une réponse d'ailleurs. Il continua :

- Et puis, bien sûr, il y a un petit triangle dans le grand triangle. Si j'avais pu j'aurais aussi dessiné un plus petit encore dans le petit et ainsi de suite, à l'infini. De même j'aurais pu inscrire le grand triangle dans un immense triangle, lui-même inclus dans un triangle plus immense encore, et ainsi de suite, infiniment.

- Vous n'êtes pas plus doué en dessin que Charli à ce que je vois.

- Ce n'est qu'un symbole que j'ai dessiné là. La vérité est infiniment plus complexe, que ce soit vers l'infiniment grand ou vers l'infiniment petit. Le macrocosme et le microcosme. Ce qui est en haut est comme ce qui est en bas. C'est la signification du triangle inclus. Mais nous, nous savons que **quelque soit l'échelle, le feu est source de vie**. Qu'il nous parle du feu du ciel, du soleil source de vie, de toutes les étoiles et du tonnerre des dieux. Qu'il nous parle du feu du volcan qui fertilise les terres, du foyer autour duquel il fait bon vivre et se regrouper en famille ou tribu, du feu de joie partagé par les hommes et les femmes. Du feu du désir et du plaisir auquel il fait bon se frotter qui est aussi la base de toutes les passions consumantes et de la reproduction chez les humains. Du feu plus subtil et microscopique, de l'électricité, de l'électron, du photon de la lumière. Tu comprends mieux pourquoi la devanture de ma forge alchimique est une boutique de technologie : c'est le pouvoir du feu subtil de ta génération qui permet les nouvelles technologies, le feu volé aux dieux par Prométhée sous une nouvelle forme.

- Je n'avais jamais vu les choses ainsi.

- Et plus important peut-être encore , le petit triangle est au cœur du grand triangle. Au cœur ! Et là où va l'intention, va l'énergie... alors si tu le veux, va toujours : **au cœur du feu**. Car oui le feu a un cœur ! Dans un feu de bois, quand tu écartes les bûches, c'est comme si tu ouvrais la cage thoracique. Alors porte ton attention au centre, sur les braises les plus rouges, les plus lumineuses, les plus ardentes, c'est là que tu pourras entrer en contact avec **le cœur ardent du feu qui consume tout**, c'est là l'initiation ultime du feu. Car oui, le cœur est un feu.

Eclair Cramh avait les larmes aux yeux en disant cela, la respiration suspendue. Un silence s'installa dans lequel seul le crépitement du feu existait, comme un souffle puissant, un ronronnement. Je crois que nous avons partagé quelque chose en cet instant, Eclair Cramh, le Renard, le Feu et moi, même si cela peut paraître étrange ou prétentieux.

Comme à contre cœur, Eclair Cramh recula d'un pas, reprenant sa respiration. Il fit un second pas, de côté celui-là, et laissa apparaître derrière lui une porte tout en fer forgé et en vitraux que je n'avais pas remarquée jusqu'alors. Le renard s'approchait déjà de la porte.

- Tu comptes sortir d'ici un jour ou y rester toute ta vie ?

Le vieux Cramh m'avait rabrouée avec malice. Il sourit. C'était sa façon à lui, timide et maladroite, de m'inviter à prendre congé sans se perdre dans l'émotivité. Il avait les yeux plus brillants que jamais. Je me levai. Je sortis du triangle, m'approchai de lui. Il fit une sorte de révérence maladroite en exagérant son geste pour m'indiquer la sortie. Je ne savais plus si j'avais envie de partir, ou de le serrer dans mes bras. Je m'avançai vers la porte comme j'y étais invitée. Le renard avec son museau l'avait déjà ouverte un peu et se glissait maintenant de l'autre côté.

Avant de me glisser à mon tour, je me retournai pour remercier le vieil homme. Il n'était déjà plus là. J'entendis un bruit au loin comme s'il avait trébuché contre je ne sais quel engin. Je l'entendis grommeler encore, ailleurs, mais je savais que c'était plus de la pudeur que de la véritable maladresse de sa part.

Je franchis la porte forgée pour rentrer chez moi après toutes ces aventures.

C'est ce que je croyais en tous cas...

CHAPITRE 11

Vert !

Des verts pomme, verts tilleul, lichen, sapin et sauge tout d'abord.

Puis d'autres verts encore ; verts printaniers, verts lime, menthe, de prairie et d'absinthe.

des verts végétaux, ... et le bleu du ciel , outremer.

Au sortir de la pénombre de la forge d'Eclair Cramh, je ne m'attendais pas à cette explosion de couleurs. En franchissant la porte je n'étais pas revenue dans la boutique comme je l'avais naïvement imaginé. J'avais sûrement pénétré plus avant, plus profond encore. Il semblait y avoir un jardin, une sorte de grand parc derrière l'arrière-boutique. Eclair Cramh était-il aussi un jardinier passionné à ces heures ?

Mes yeux s'habituant, je commençai à mieux distinguer les détails ainsi que d'autres couleurs. Dans l'océan de vert de la végétation luxuriante et magnifiquement entretenue, je surprenais maintenant des pointes de couleurs lumineuses : garance et groseille, jaune jonquille, abricot et paille, amarante et ponceau coquelicot, bleu lavande, bleuet, cyclamen et cerise, framboise et fraise écrasées,... et des roses ...

Le ciel que j'avais cru d'un bleu unique au départ se révélait sous toutes ses nuances profondes, dégradé de bleus, strié de nuages blancs crémeux et de veines malachites par endroits.

Que cette nature est belle.

La brise qui de l'autre côté charriait encore du crachin, apportait maintenant à chaque inspiration de nouvelles fragrances. Les fleurs embaumaient et les herbes dansaient sous sa caresse. Ici et là, insectes, papillons et oiseaux se mêlaient à cette danse, à cette fête, par leurs couleurs, par leurs vrombissements, leurs murmures et leurs chants.

Je défis mes chaussures promptement pour profiter des chatouillis de l'herbe douce, de la chaleur des pierres exposées au soleil, de la tendresse de la terre nue.

Les vers de Baudelaire me revinrent à l'esprit :
« Là, tout n'est qu'ordre et beauté,
Luxe, calme et volupté. »

Le petit chemin que j'empruntais, allégée, sinuait entre touffes, mottes et bosquets, entre buttes, et parterres. Au premier croisement que fit le layon, mon renard semblait m'attendre. Ne sachant où j'allais, je choisis de m'en remettre à lui, encore une fois, et de le suivre. C'était d'autant plus facile que je nous sentais de plus en plus complices et qu'il m'attendait systématiquement à chaque patte-d'oie. Le jardin était certainement plus grand que je ne l'avais imaginé au départ. Ou alors mon renard me faisait quelque peu tourner en rond, d'embranchements en bifurcations. Savait-il seulement où il allait ? Pour ma part la ballade restait agréable et la découverte de ce paysage se renouvelait féeriquement.

Le soleil était haut désormais. Avais-je passé toute la nuit dans l'arrière-boutique et l'ombre ? Je sentais la faim qui commençait à me tirailler. J'avais bien maraudé quelques baies, mais elles étaient rares dans ce décor de fleurs et de bouquets d'arbres. Et puis mon renard ne faisait pas vraiment de pause, et j'avais peur de le laisser partir trop avant. D'autant qu'il me semblait qu'il accélérait son pas, comme emporté par l'enthousiasme de ce qu'il espérait découvrir derrière chaque lacet.

Le chemin descendait maintenant en pente douce. Mon renard accéléra encore son pas. Il fila bientôt sans plus m'attendre. Il avait remarqué au loin une silhouette. Il cavalait à présent, museau à tout vent, en direction du lieu où se trouvait cette personne.

Elle, assise à même le sol à quelques encablures, comme sentant notre arrivée qu'elle semblait attendre, tourna légèrement la tête vers nous.

Pour ma part, prudente, je ralentis le pas. Je voulais un peu l'observer avant de m'approcher.

Elle m'apparut comme une femme vêtue d'une longue robe écrue, avec seulement quelques motifs esquissés autour de l'encolure. Elle semblait plutôt de petite taille et assez ronde. Ses longs cheveux d'un beau blanc régulier et le tanné de sa peau sombre laissaient deviner une femme qui avait bien vécu. Elle aurait pu être ma grand-mère, de par son âge probablement et de par ses origines aussi qui pouvaient être nord-africaines.

Je scrutai le comportement de mon renard à son égard , il avait avalé les derniers mètres à grands bonds. Il me sembla que c'était des retrouvailles. Mon renard était comme excité et fou de joie. Il sautillait devant elle, lui donnait des petits coups de langue, se roulait à ses pieds. Il glapissait de façon stridente comme s'il riait. Elle le caressait, alors que moi il ne m'avait jamais laissé le toucher. Ils jouaient tous les deux. J'étais un peu jalouse.

- Bonjour, dis-je en m'approchant encore. C'est votre renard ? Vous l'avez apprivoisé ?

- Bonjour, tu dois être Clarice, c'est bien ça ? N'est-ce pas plutôt « ton » renard ? Même s'il n'est nullement question, ni pour toi, ni pour moi, de l'apprivoiser bien sûr...

- Comment connaissez-vous mon nom ?

- Le vieux Cramh m'a parlé de toi...

Elle avait dit « vieux Cramh » avec beaucoup de bienveillance et peut-être un brin d'espièglerie. Je remarquai alors qu'elle était très belle « malgré son grand âge », ou peut-être même, très belle « de par son grand âge » !

- Tu dois avoir faim. Vois ce que « *grand mère Maha* » t'a préparé.

Je ne sus pas tout de suite si elle parlait d'elle ou de quelqu'un d'autre. Quoi qu'il en fut, elle avait étalé à ses pieds un tissu ocre où était déversé le contenu d'un panier à pique-nique, couché sur son flan telle une corne d'abondance.

Sans plus de civilités, je m'assis à son côté et commençai à goûter à toutes les bonnes choses ...

- C'est bien, tu aimes la Terre ?

- Pardon ? Dis-je la bouche pleine d'une tartine de sarrasin à la marmelade de fruits rouges et fleur d'oranger.

- Je vois que tu n'as pas eu peur de t'asseoir avec moi à même le sol, et que tu n'as pas peur non plus que la terre te « salisse ».

- Oui ! dis- je simplement, incapable de formuler une réponse plus complète, tout en me délectant de ce qui me sembla être des œufs de cailles au concassé de poivrons rouges et arachides.

- Je vois que tu sais apprécier tous les fruits de la Grand-Mère.

Elle avait accompagné sa remarque d'un geste large qui désignait tout le repas composé de mets délicieusement simples comprenant des fruits, mais aussi des légumes, des céréales, des fleurs, des laitages et même quelques préparations à base de viande animale finement tranchée, des boissons et des potions peut-être ? Puis elle élargit encore son geste jusqu'à nous inclure tous trois, le renard, elle et moi dans notre petit coin de paradis. Et encore dans une spirale plus grande, à grand renfort de gesticulades amusées, elle me montrait à 360 degrés tout ce qui nous entourait.

- ... Les fruits de la Grand Mère...

Gourmande, je tendis ma main vers un petit bol empli de mets semblant choisis avec attention.

- Celui-là n'est pas pour toi. Il est pour Grand-Mère Terre. C'est une offrande. Le vieux Cramh ne t'a- t'il pas appris à faire des offrandes ?

- Pardon, j'avais cru que vous parliez de vous quand vous évoquiez « Grand-mère Maha » tout à l'heure.

- Je m'appelle Maha El Crirc. Enchantée. Mais tu peux m'appeler Maha, ou grand-mère Maha si tu préfères.

- Vous venez souvent déjeuner dans le jardin de Mr Cramh ?

Grand-mère Maha partit d'un éclat de rire qui fit sursauter le renard.

- Ce n'est pas son jardin ! Et cela vaut mieux si l'on ne veut pas que tout se termine dans un grand brasier.

- C'est votre jardin alors ?

- Pourquoi ce jardin devrait-il appartenir à quelqu'un. Et pourquoi ne serait-ce pas l'inverse ?

- Que voulez-vous dire par là ?

- Je te propose de regarder ta place et ta relation à la nature alentour autrement. D'imaginer non plus ce jardin comme un bout de nature, extérieur à toi, sur lequel régner pour mieux en profiter ou mieux en tirer profit comme dans une exploitation agricole ou une exploitation forestière. Mais de le regarder comme un grand tout, vivant, dont tu fais partie, dont chacun de nous n'est qu'un élément, sans hiérarchie. Le « Grand Jardin » ne t'appartient pas, ni à toi, ni à moi, ni à personne . C'est toi qui appartient au « Grand Jardin ».   Ainsi nous sommes tous également partie prenante et éléments constitutifs de la Nature : cet arbre, ce coléoptère qui s'échine à grimper dessus, ce rapace qui fend l'air de son vol et de son cri, cette grosse pierre et ce lézard vif étalé dessus. Le « Jardin » c'est toute la Terre, et chaque petit endroit. Le « Jardin » c'est le soleil et tous les astres et chaque être vivant, chaque grain de poussière.   Ce sont toutes ces forces, tous ces lieux, tous ces règnes. C'est toi aussi, ... et plus encore .

- C'est une façon de voir intéressante. Il m'est déjà arrivée de voir les choses ainsi.

- C'est tellement évident que tout le monde le sait, ... et tout le monde l'oublie. Et l'on oublie aussi combien c'est bon, simplement et profondément bon, d'être vivant au sein de cette nature partout vivante. Tu as bien raison, tout le monde sait cela, mais la plupart oublie deux choses importantes.

- Lesquelles Grand-Mère ? J'avais dit « grand-mère » très spontanément comme si elle était réellement ma grand-mère biologique. Je sentais combien le fait de l'appeler ainsi était affectueux et une façon de reconnaître sa sagesse.

- Comme je te l'ai déjà dit, et comme toutes les anciennes traditions nous le rappellent, souviens-toi toujours que **la Nature, partout, est vivante**. Un animal est vivant bien sûr, une plante ou un arbre aussi. Même les scientifiques et les enfants savent cela. Mais une rivière aussi, et un nuage et le tonnerre aussi. Quand je parle de Nature vivante je pense aux règnes animal et végétal, et j'y ajoute tous tes frères et sœurs humains, mais aussi le monde minérale, et d'autres choses dont tu n'as même pas idée. Je te propose d'essayer de regarder les choses ainsi, et tu vas voir ce que cela change immédiatement...

- C'est facile pour moi de voir que le renard est vivant, à la limite les brins d'herbe aussi... mais pour le reste ...   Je veux bien essayer, mais ...

- Dès que tu as compris cela, **tu peux entrer en relation avec la Nature**, réellement en relation, comme toi et moi sommes en relation...

- Vous voulez dire que je peux discuter avec ce rocher par exemple ?

- Discuter, peut-être pas au sens des bavardages incessants et stériles que nous avons trop souvent entre humains. Mais bien mieux que cela. Tu peux entrer en relation avec ce roc, de cœur à cœur, d'âme à âme, d'esprit à esprit. Entrer en relation, en dialogue et en communion. Tu peux même bien souvent recevoir des enseignements d'un rocher si tu t'ouvres à lui. Chaque règne, chaque espèce, chaque partie de la nature nous invite à entrer en relation avec elle de façon spécifique. Tu as déjà commencé à entrer en relation avec ton renard.

Maha s'était approchée lentement du rocher que j'avais désigné. Il était à peine plus petit qu'elle, mais devait faire dix fois son poids. Le lézard qui y goûtait le soleil avait déguerpi. Ce granit de forme plutôt ovale, avait sa face ombragée striée et parcourue de mousse. Maha se baissa devant le rocher, se prosterna presque. Je regardai à droite puis à gauche pour vérifier que nous étions seules, parce que je trouvais cela un peu ridicule. Ce qui fit sourire Maha et lever une oreille à mon renard. Puis je me baissai à mon tour pour l'imiter. Je me sentais un peu gauche, un peu gênée.

- Le monde minéral est resté très proche de la Terre, il nous faut d'abord nous incliner vers elle, nous en approcher, toujours plus bas, humblement...

J'étais moi aussi presque couchée au pied du roc maintenant.

- Tout est histoire de rythme avec le monde minéral. Si tu veux qu'il perçoive ta présence, ralentis ! Ralentit tes mouvements d'abord, puis ton souffle et tes pensées. Prend le temps de te rapprocher de lui avant de le toucher. Rappelles-toi que sa vie se compte en millions d'années et que si tu restes une heure avec lui ce sera comme un battement de cil pour toi...

J'avais déjà presque une crampe, mais je réussis à me calmer.

- Quand tout sera immobile, à l'intérieur et à l'extérieur, vous pourrez entrer en contact.

Il faisait chaud. Je sentis des gouttes de sueur perler sur ma peau et me glisser sur la nuque. Je devais faire un effort pour ne pas me gratter. Le renard avait dû sentir mon agitation car il vint s'allonger juste entre Maha et moi. C'était long ! Il ne se passait rien ! J'avais envie d'ouvrir les yeux et de partir...

Je perçus un premier son. Comme un craquement. Puis un autre, plus sourd, et encore un autre...

- Garde bien les yeux fermés, ne bouge pas !

Maha avait bien fait de me prévenir car j'allais ouvrir les yeux. Les battements s'enchaînaient maintenant en un rythme lent. Deux coups réguliers, et un espace silencieux, à chaque fois. Je pensai tout d'abord que Maha martelait le sol de ses poings. Mais je n'en étais pas certaine.

Cela dura, cela s'amplifia. Le rythme lent et régulier m'emportait. Maha chantonnait au loin. Comment pouvait-elle être au loin, nous étions si proches il y a encore un instant ! Son chant me rassurait, comme celui dans l'ombre la veille. C'est alors que je fus submergée !

Un poids infini tout d'abord, oppressant, je ne pouvais plus respirer. Heureusement, là où j'étais, j'entendais encore l'écho du chant de Maha et du rythme comme perçu du fond d'une grotte. Puis malgré ces tonnes sur mon thorax, je ressentis une grande paix. Une paix que je n'avais jamais connue, une acceptation... c'était bon et tellement puissant ! Je savais que j'étais « là »... tellement « là » comme si j'avais toujours été « là », en mon centre, au centre de toute chose, avec le rocher, en son sein,...

Cela dura des heures, cela dura des milliers d'années, cela dura une fraction de seconde. J'ouvris les yeux et tout fut fini, immédiatement. Je repris mon souffle, regardai alentour. Je revis la beauté du parc, et le rocher devant moi. Tout était pareil. Plus rien n'était pareil.

- C'est bien, dit Maha en se relevant avec une souplesse qui me surprit pour son âge. C'est bien, je vois que vous avez fait connaissance...

- Mais que s'est-il passé ? C'est ça que vous appelez entrer en relation avec un rocher ? Une fois le choc passé, j'étais toute excitée, et avait mille questions à poser à grand-mère Maha... Elle s'asseyait à nouveau devant le pique-nique comme si rien ne s'était passé.

- Ce qu'il y a de bien maintenant, c'est que tu sais que c'est possible. A toi d'aller à la rencontre de qui tu veux, où tu veux, quand tu veux, partout...

Je regardai autour de moi. Le jardin prenait une autre dimension, je commençais à croire qu'il était possible que j'entre en relation ainsi avec chaque animal, végétal et autres « trucs » ici. Je sentais que c'était possible alors. C'était comme si le jardin s'était mis à vibrer, ou rayonner, complètement différemment. Je retrouvai mes sensations et mon enthousiasme d'enfant qui veut découvrir le monde enchanté qui l'entoure. C'était même plus fort car cela m'avait terriblement manqué pendant plus de vingt ans.

- A présent, on n'a plus besoin de t'embêter avec une écologie moralisatrice.

- Que voulez-vous dire Maha ?

- Es-ce qu'il te viendrait à l'idée aujourd'hui de désherber ici, de couper ce bosquet, de bitumer ce vallon, ou de mettre une laisse à ton renard ?

J'étais presque choquée par les propositions de Maha !

- Bien sûr que non, ... c'est que... j'... j'aime bien tout ça. J'ai envie d'en prendre soin, de le laisser vivre tel quel.

J'avais eu du mal à dire cela. Je n'étais pas encore à l'aise avec le verbe « aimer » s'agissant d'une sauterelle, d'un vieux mélèze, ou d'un caillou.

- Comme beaucoup d'humains ont oublié que la nature est vivante, ils ne savent plus entrer en relation avec elle, alors ils oublient de l'aimer, et ils l'exploitent, la négligent et font souffrir beaucoup d'êtres... Il n'y a pas que les saules qui pleurent !

J'avais envie de me rouler dans l'herbe, de serrer les arbres dans mes bras, de souffler sur les pistils de pissenlits, et de donner tout mon argent à Greenpeace !

- Tu vois Clarice, on ne peut prendre soin que de ce que l'on aime. Et on ne peut aimer que ce que l'on rencontre.

- Merci Grand-mère. Je sens que c'est un nouveau jour pour moi. Je vais aller plus souvent me promener dans la nature et dans les parcs. Mais vous savez, pour moi ce n'est pas facile, je vis en ville, et ...

Grand-Mère Maha ne me laissa pas finir... elle fit une sorte de claquement avec sa langue pour m'interrompre. Puis continua dans une sorte de comptine enfantine qui moquait gentiment ma plainte

- la la la la lère... pas de sornette ma belle. Ne me dis pas que tu crois encore que le « Grand Jardin » se limite à notre petit parc protégé ? Ne me dis pas que tu crois que la Nature dont je te parle ne concerne que les parcs nationaux et les étendues sauvages ou les géraniums posés sur les balcons ! **Le Grand**

Jardin est tout ! La nature c'est tout ce qui t'entoure, partout, même en ville ! N'oublie pas d'où viennent tes aliments, bios ou pas, c'est toujours la nature qui te nourrit, le jardinier ou l'entreprise d'agro-alimentaire n'ont pas le pouvoir de faire pousser quoi que ce soit. C'est la nature, c'est la terre-mère qui nous nourrit.

- Maintenant je me vois mal manger des poulets qui souffrent en batterie, ou des maïs industriels ou OGM.

- C'est vrai, quand on a rencontré la nature au moins une fois, s'établit une relation de bienveillance réciproque. Et même en ville, souviens-toi d'où te viennent le bois, la pierre, le métal et le ciment de tes bâtiments... C'est la Terre-Mère qui nous offre cela. Même le métal des voitures et le pétrole ou le plastique. Partout la Terre-Mère, la vie et la Nature. Le courant des fleuves, le flux des nuages et celui des gens qui sortent du métro. Partout, flux, nature, vie ...

- Je sens cela en moi, et autour de moi. Je fais partie de ce flux... c'est beau, c'est bon.

Une bourrasque fit lever le nez simultanément à Grand-Mère Maha et à mon Renard.

- Maintenant que tu sais qui est ta mère bienveillante, maintenant que le lien d'amour est établi entre vous, il est temps de grandir et de devenir femme ma chère « *Oiran* ».

CHAPITRE 12

- « *Oiran* » ? Je n'ai pas rêvé, vous m'avez bien appelée Oiran ? Vous devez confondre... Vous savez bien que je m'appelle Clarice !

- Quand on devient plus sensible, on acquiert le pouvoir de nommer les choses et les êtres, en fonction de leurs couleurs, de leur énergie, de leur développement. C'est important un nom qui résonne avec ce que nous sommes plus profondément. Cela a toujours existé. Ceux qui cheminent peuvent recevoir ce que l'on appelle alors « un nom d'initié. » Celui-ci peut être gardé secret ou partagé, suivant la tradition, suivant l'usage, suivant la culture et la capacité de la société environnante à nous accueillir ou pas avec ce nouveau nom, cette nouvelle couleur. Mais toujours c'est un nom porteur de révélation. Par exemple le nom de ton Renard est « Sunfox »

- « Sun-fox », « Soleil-Renard » c'est joli ! Ça lui va bien je trouve, dis-je en tendant la main vers lui. Il renifla le bout de mes doigts mais évita une fois encore le contact.

Je l'appelai encore.

- Sunfox, Sunfox... viens vers moi !

Nous étions de plus en plus proches lui et moi, mais il restait cependant insaisissable et inaccessible.

Je me tournai à nouveau vers Maha :

- « Oiran » c'est mon nom d'initiée alors ?

- C'est le nom que je te donne, pour l'instant.

- Je n'ai jamais entendu un tel prénom. Cela vient de quelle origine ? Cela veut dire quelque chose ?

- Dans le Japon médiéval, à l'époque des samouraïs, il y avait des femmes que l'on appelait ainsi. Elles n'avaient ni mari ni enfant.

- Mais moi j'ai un fils. Le vieux Cramh ne vous a rien dit de mon fils Kilian ?

J'avais tourné immédiatement mon attention vers Kilian. Il me manquait déjà. J'avais hâte de le retrouver. Je le savais en sécurité avec son (abruti de) père, mais il me manquait. J'imaginai que nous pourrions aller tous les deux dans la nature plus souvent et différemment maintenant. J'imaginai que nos jeux communs n'en seraient que plus riches, spontanés et émerveillés. Lui avait encore ce contact direct avec la nature, moi je commençais à le retrouver.

- Arrête là le flux de tes pensées. Le nom de « Oiran » t'a été donné pour s'adresser à la femme toute entière, pas uniquement à la mère. Je suis ravie de voir que tu prends tellement à cœur ton rôle de mère, et je suis bien placée pour savoir ce qu'il y a de merveilleux à perpétuer ainsi la vie, et à prendre soin d'un enfant. Ce qu'il y avait de bien avec les polythéismes, c'est que l'on avait beaucoup d'autres images possibles de Femmes, et pas seulement la mère, qui en plus d'être sainte doit être vierge. Chez les grecs par exemple, une femme, suivant les priorités, les étapes ou les difficultés rencontrées dans sa vie, pouvait se tourner vers Héra si elle avait des problèmes de couple ou de fécondité, vers Gaïa en tant que « mère de », ou « fille de », vers Athéna pour ses études, sa profession, sa vie sociale, vers Aphrodite pour ses questions d'amour et de sexualité, vers Hestia, Artémis, Déméter, Perséphone, etc ... Le nom de « *Oiran* » est encore une page blanche pour toi, profite-en. Pour commencer je veux juste te dire qu'il veut dire « premières fleurs » en japonais.

- J'aime bien, c'est joli. « Premières fleurs » ! C'est gentil de m'appeler ainsi. Ça me va bien je trouve « *Oiran* ». Merci.

- Ces femmes à l'époque étaient des courtisanes de haut rang, des sortes de « Geisha » de luxe, cultivées et souvent artistes.

- Une courtisane ?! Vous m'avez donné un nom de courtisane ! Comme si j'étais une prostituée, une traînée ?!

Je me levai. Le rouge de la gêne et plus encore celui de la colère m'était immédiatement monté aux joues. J'étais prête à partir...

Maha émit une sorte de gloussement. Comme pour refréner un rire. Comme si elle était contente du petit tour qu'elle venait de me jouer.

- Comment osez-vous ! C'est vous la traînée !

J'avais dit cela dans un cri. Je tremblais. Je sentais bien que ma réaction était démesurée, mais de quel droit cette vieille femme me traitait-elle de « pute » ?

Le gloussement de grand-mère Maha s'étira en une sorte de murmure, de litanie. Il y avait de la taquinerie peut-être encore dans cette sorte de chant, mais aussi beaucoup de bienveillance et je crus y déceler une intention d'apaisement. Je réussis à me rasseoir en face de Maha qui, yeux clos, continuait de plus belle son chant.

- C'est dur ce surnom dont vous m'avez affublé. Je ne comprends pas. C'est le vieux Cramh qui vous a raconté n'importe quoi sur moi ? Surtout que... si vous saviez...

- Comment va ta vie amoureuse et sexuelle en ce moment... depuis que tes pensées et ton temps se tournent instinctivement vers Kilian ?

- Mais... ça ne vous regarde pas !

- Comme tu voudras !

Grand-Mère Maha se remit à chantonner comme si cette conversation devait en rester là. Cependant, elle m'avait belle et bien déjà attrapée au lasso de ses questions. Elle était femme. C'était une grand-mère qui avait dû en voir passer, et il me sembla qu'elle avait une capacité d'accueil et de non jugement hors du commun. Aussi, contre toute attente, j'eus envie de me confier à elle, comme je ne m'étais rarement confiée.

- Comment vous dire... C'est le vide total. Rien. Personne ! D'autant qu'après la naissance de Kilian, ça s'est vite dégradé avec son père. Bien sûr, depuis la séparation, c'est encore pire, je me sens si seule. Aucun homme à aimer. Aucun homme qui me regarde et pour qui je compte. Quelque fois j'ai l'impression de ne même plus exister. Je ne sais même plus ce que veut dire « faire l'amour ». Je me demande d'ailleurs si j'ai su un jour ce que cela voulait dire et si j'arriverais à refaire l'amour un jour ?

Cela m'avait fait du bien de dire cela à Grand-Mère Maha, simplement. Je compris au soupir que je fis, que ma solitude affective et mon abstinence sexuelle m'avaient affectée plus que je ne me l'étais avouée jusqu'alors. Grand-Mère Maha le savait avant même d'entendre mon soupir.

- Tu n'as plus de nouvelle de Icar ? Je crois que tu en pinçais pour lui ...

- De qui me parlez-vous ? Je ne connais pas de « Icar »...

- Rassure-moi, tu devais bien te douter que « Expéditeur Inconnu » n'est pas son vrai nom ?

- Ah, lui ! Mais comment savez-vous ? Mon « Expéditeur Inconnu » s'appellerait donc en réalité Icar ? Vous savez aussi pour les messages sur mon téléphone ? C'est Charli qui vous en a parlé ? Mais ce n'est pas vrai, on ne peut garder aucun secret dans cette maison !

En regardant le jardin alentour, aucun mur à l'horizon, ni toit, ni fenêtre, je me rendis compte de l'incongruité de ma remarque concernant « cette maison ». Nous sourîmes Maha et moi, comme complices. Même Sunfox semblait me faire des clins d'oeil.

- Comment est-il cct « *Expéditeur Inconnu* », ce « *Icar* » ?

- Je ne sais pas, je ne l'ai jamais vu. J'espère qu'il est grand, beau, fort, et un peu sauvage aussi, pour me sortir de mon ronron, ... me secouer.

- C'est donc cela qui compte pour toi ? Un tarzan pour te secouer ? Et tu comptes sur lui pour cela ?

Mi vexée, mi amusée, je baragouinai :

- Non, j'espère aussi qu'il est charmant !

- Icar le charmant, «*Icar Charmel*», c'est parfait ! Les présentations sont faites entre vous ! Maintenant il ne t'est plus complètement inconnu.

Je me souvins alors du téléphone que j'avais dans la poche, qui bien que déchargé depuis l'épisode du fond du trou noir, restait mon seul lien avec mon « *expéditeur inconnu* », avec ce « *Icar Charmel* ». Je glissai ma main dans ma poche pour sortir le téléphone, pour voir si j'avais un nouveau message, pour le montrer à grand-mère Maha.

En lieu et place du vieux téléphone, je ne trouvai qu'un morceau de bois flotté, poli, de forme oblongue de la même taille que le téléphone. Je le sortis de ma poche pour le regarder, ahurie, et le montrai par la même occasion à Maha. En voyant le bout de bois ovale, long et lisse, elle rit encore.

- Effectivement, il est exactement comme tu me l'as décrit. Et si je vois bien là l'attribut qui te relie à lui, ton Icar n'est encore qu'un simple godemichet.

Regardant l'objet dans ma main d'un autre œil, je devins confuse, et finis par rire avec Maha de bon cœur, sans bien comprendre une fois encore ce qui s'était passé.

- Mais je ne comprends pas... Il y a peu c'était encore un téléphone, je recevais des messages dessus...

- Tu sais, pour les messages vraiment essentiels, nous n'avons peut-être pas besoin de la béquille technologique. Comme entre deux amoureux, comme entre une mère et son fils, comme toi et ton renard, ... le langage non verbal, la sensation, l'intuition, voire une certaine forme de télépathie sont plus directs.

> « *Extirpe-moi de là*
> *De cette fange, façonne-moi*
> *L'or tu deviendras* »

J'avais entendu cette phrase dans ma tête, directement ! Étaient-ce mes pensées ? Étaient-ce des voix ? Était-ce mon Icar ? Cette fois, c'est sûr, j'étais en train de devenir folle. On allait m'interner ! Grand-Mère Maha, comme si elle avait entendu le message elle aussi, me demanda simplement :

- Message reçu ?

Sans que je sache si elle évoquait sa dernière phrase à elle ou si elle aussi avait perçu le drôle de message dans ma tête, celui d'Icar ?

- C'est ... C'est incroyable !

Puis-je simplement dire, et déjà Maha rebondissait :

- C'est incroyable oui que ton Icar en soit encore là ! Il va falloir que je te donne un coup de pouce pour le révéler et te réapproprier ta propre énergie sexuelle ma belle, ton énergie vitale. Te délivrer de la tyrannie qui consistait à laisser à l'altérité le gouvernail de ton propre épanouissement sexuel. Tu vois le lien avec « *Orian* » maintenant ?

- Heu... oui... mais...

- Tu es en Lune, c'est bien ça ?

- Comment ça « *En lune* » ?

- Es-tu bien dans la période de ton cycle menstruel, synchronisé au cycle de vingt-huit jours de la lune, où ton sang s'écoule ?

- Mais comment savez-vous cela ? Vous êtes une vraie sorcière ?

A peine ces mots prononcés, je le regrettai. J'avais peur d'avoir froissé Maha. Il n'en fut rien, bien au contraire.

- Merci ! Appelle-moi « sorcière » si tu veux. J'ai beaucoup de respect pour ces femmes qui connaissaient si bien la magie des plantes, de la nature, et leur propre magie sexuelle ! Évidement de telles femmes libres, intelligentes et puissantes ont fait peur à beaucoup d'hommes du passé, et ils leur ont fait payer cela très cher ! Mais revenons à « ton Icar ». Il semble qu'il soit encore là à tes côtés. Il y a donc deux explications possibles : soit tu n'es encore qu'une petite fée qui le séduit plus que ne l'effraie, soit Icar est en capacité à t'accueillir dans toute ta puissance.

Maha m'indiqua alors un endroit un peu marécageux en-dessous du bosquet le plus proche.

- Tu vois cette terre ? J'aimerais te demander quelque chose qui va te paraître étrange au premier abord.

- Oh vous pouvez toujours demander. Depuis quelques temps, les choses étranges s'enchaînent pour moi. Je m'attends à tout !

- Je t'invite donc à aller déposer quelques gouttes du sang de tes lunes sur cette terre.

Je devais avoir la mâchoire décrochée car je ne pus rien répondre. Un silence s'installa, et devant mon air incrédule Maha crut bon de rajouter :

- Comme une offrande.

- Vous voulez que j'aille jeter mon sang menstruel là-bas ?

- Non pas « jeter », mais « déposer », « rendre à la terre », puis revenir avec une grosse poignée de cette terre mélangée à ton sang.

- Mais c'est dégueulasse !

- Quoi ? La terre ? Le sang de tes lunes ? D'autres que toi, en y ajoutant un sens moral auraient argué que c'est "*infernal*" et j'aurais acquiescé, il s'agit bien d'un plongeon et d'une reconnexion avec l'*inférieur*", que tous ceux qui en ont peur ont appelé l'« *enfer* ». Pour nous, je te propose de prendre le mot « *inférieur* » non pas dans un sens hiérarchique ou de jugement, mais dans le sens chamanique du "*monde du bas*", pour ne pas dire du « *monde du bassin* ». Ce « *monde du bas* » est parcouru par de puissantes énergies. Tu y as déjà rencontré ton animal totem et d'autres forces archaïques, c'est aussi là que circule l'énergie sexuelle. Comme toujours avec le monde du bas, on peut passer sa vie à l'éviter, et donc à en être son jouet. Ou alors, courageusement tenter de faire alliance en l'approchant, en l'accueillant, en lui reconnaissant son caractère sacré ! **Reconnaître le caractère sacré de la terre, du sang de tes lunes et de ton sexe, c'est le premier pas vers l'accueil et l'intégration de ta propre énergie sexuelle, de ta propre énergie.** Va maintenant.

Comme une automate hésitante je me dirigeai vers l'endroit indiqué. Maha et le renard avait repris leurs jeux, et ne semblaient plus s'occuper de moi, ce qui m'arrangeait bien d'une certaine manière. Ici l'herbe se faisait plus rare, la terre était presque à nu. Je m'accroupis. Je sentais bien que j'étais en train de faire quelque chose qu'hier encore j'aurais trouvé ridicule ou sale, et dont je sentais maintenant toute la beauté et la puissance. Nous communions, Terre, Sang, Lune et moi. C'était presque comme un orgasme qui serait monté, et c'était aussi surtout l'inverse, comme une descente de strate en strate vers l'infini intime.

Je malaxai ensuite cette boue et mes quelques gouttes sanguines. Je pris mon temps, et du plaisir. Je rapportai enfin à Maha, débordant d'entre mes mains, le plus précieux des trésors.

-Très bien ma chère Oiran. Du sang de la Terre et de ton sang qui ne sont qu'un, façonne maintenant ton bel Adam, ton Icar.

J'avais compris. Ou plutôt, les mains avaient compris car déjà elles modelaient la glaise. Comme mue par une énergie nouvelle et une profonde inspiration, pétrissant, sculptant, burinant, je donnai forme et vie à cet homme, à mon Icar. En quelques minutes j'avais réussi d'abord à façonner une figurine vaguement humanoïde.

Maha me regardait attentivement, puis, elle dit :

- Non! Celui-là est déjà très malade. Fais-en un autre.

Je modelai.

Maha sourit gentiment, avec indulgence :

- Tu vois bien... c'est un bélier. Il a des cornes...

Tel Saint-Exupéry avec son petit prince, je refis donc encore mon ouvrage.

Mais il fut refusé, comme les précédents.

- Celui-là est trop vieux. Tu veux un Icar qui a la sagesse, mais aussi qui vive longtemps.

Alors, faute de patience, comme j'avais hâte, je malaxai le tout, le ramenant à l'état de barbotine, pour en faire une simple sphère.

Et je lançai:

- Ça c'est l'œuf. L'Icar que je veux est dedans.

Mais je fus bien surprise de voir s'illuminer le visage de ma grand-mère Maha:

- C'est tout à fait comme ça que tu le voulais !

Maha ne me laissa pas le temps d'apprécier mon œuvre... Elle entonna un nouveau chant, avec une voix plus profonde cette fois. Elle prit la sphère terreuse, et d'un geste rapide et précis, elle m'écrasa la figurine, l'oeuf de glaise sur le visage...

CHAPITRE 13

Je sursautai à son contact soudain sur mon visage.

Bien vite la terre sanguine et meuble de mon Icar de glaise, de mon « *expéditeur inconnu et boueux*» me recouvrit toute la face. Ça me piquait les yeux, et ça me rentrait par les narines. J'avalai de la terre. Ça me pénétrait de partout et j'eus peur d'étouffer. Prise de panique je commençai à me débattre sporadiquement.

- Tout va bien, ne bouge pas que je puisse te dégager la bouche et les narines afin que tu respires.

Quelque peu rassurée, je sentis Grand-Mère Maha me désobstruer en quelques gestes rapides et précis encore une fois. Je respirai à nouveau. Je cessai de me débattre. Bien que mes yeux fussent encore masqués par la boue, ce qui me rendait aveugle, j'étais déjà plus apaisée.

- Tu veux bien que je t'aide à te dévêtir maintenant ?

Cette invitation de Maha me stupéfia ! Passée ma surprise, je me dis que Maha me proposait cela sans doute pour ne pas tacher mes vêtements avec la boue. Nous sachant seules, et après la conversation que nous venions d'avoir, un profond sentiment de sororité me permit de me dénuder sans trop de gêne. Comme lorsque qu'elle m'avait dégagé le nez et la bouche, les gestes de Maha étaient simples, efficaces et respectueux. Je me trouvai bien vite en costume d'Eve (ou devrais-je dire en costume de Lilith ou d'Aphrodite ?). J'avais jusqu'alors été plutôt complexée par mon corps, que j'avais toujours jugé comme imparfait, ou ne correspondant pas à ce que je pensais que les hommes en attendaient. Mais ça c'était avant que je ne façonne mon propre « *Icar de glaise* ». C'était comme si la Vénus de Willendorf, du fin fond de son paléolithique et de ses rondeurs, me rappelait qu'une déesse s'assume, qu'elle soit ronde, maigre, petite, grande, jeune ou vieille. Le soleil et la brise caressaient doucement et simultanément tout mon corps, tel qu'il était, sans le juger eux non plus. Je sentais tout ce que ma nudité avait de naturel et simple, et aussi combien c'est ainsi que j'étais puissamment femme et sexuée.

- Tu veux bien t'allonger aussi ?

Je m'allongeai. L'herbe rare et douce accueillit tendrement et fraîchement mon dos. Alors qu'une profonde détente me gagnait, Maha entreprit de me masser le corps. Doucement, avec simplement quelques effleurements pour commencer. Maha entonna aussitôt un nouveau chant. Il y était question de la « *Patcha Mama* », le nom donné à la terre-Mère en Amérique du sud. Ses mains prenaient de plus en plus d'aisance et dansaient sur moi en même temps qu'elles me malaxaient plus vigoureusement. Maha commença à m'appliquer sur tout le corps une sorte d'onguent que j'imaginais composé d'huiles essentielles terreuses.

Tout en continuant son soin, elle me demanda :

- Alors qu'est-ce qu'on fait de ce diagnostic qui a été posé sur toi ?

Je ne m'étonnai plus qu'elle en sache autant sur moi. Mais pas plus que le vieux Cramh, elle n'était médecin, aussi je lui répondis poliment et fermement :

- ou-ne-pou-ez-pa-me-gué-ir-avec-otre-truc

J'avais du mal à répondre avec le masque de boue sur le visage.

Maha continuait son massage. Elle était toujours appliquée. Elle avait repris son chant et je sentis aux trémolos de sa voix que ma remarque l'avait faite sourire. Elle le voulut plus précis et pédagogue. A la fin du refrain elle me dit :

- Je n'ai jamais eu la prétention de te guérir. Est-ce que ce que je t'applique sur le corps peut te guérir ? Est-ce qu'un médicament guérit ? Est-ce qu'un médecin sait guérir ? Est-ce qu'un jardinier sait faire pousser les fleurs. Je connais un proverbe chinois qui dit : "*Le médecin soigne, la nature guérit.*" Je rends grâce aux progrès de la science et de la médecine occidentale, et aussi à toutes les autres médecines, chinoises, ayurvédiques, ou traditionnelles. Chacune d'elles a ses spécificités, ses capacités, mais aussi, chacune, sûrement, a ses points aveugles. La « *médecine* », au sens où je l'entends est ailleurs que ce que tu admets encore pour le moment derrière ce mot. Je sais que nous sommes tous, praticiens de tout poil, avec nos bonnes volontés, nos techniques et nos outils, que des facilitateurs et des intermédiaires d'un processus qui nous dépasse, qui s'appelle « *la Vie* ». En chamanisme ce qui est « *médecine* », c'est tout ce qui est efficient, tout ce qui agit et modifie les rapports de force, d'harmonie ou d'équilibre. Je me souviens d'un vieux chaman (Archie Fire Lame Deer) qui me réclamait sa « Black Médecine » (médecine noire) quand il voulait que je lui serve un simple café. **Tout est médecine.** Dans cette vision où tout est relié, toutes les choses, les êtres et les événements sont interdépendants, et agissant les uns avec les autres. Dans cette vision holistique, il peut y avoir un lien entre un être qui souffre et un cours d'eau qui a été pollué, entre un arbre qui dépérit et une famille qui se dispute, entre un enfant qui va mieux et un hommage rendu à un ancêtre, entre une bonne récolte et le fait d'avoir dansé toute la nuit. En mathématiques, la théorie du chaos, illustrée par l'effet papillon («le battement d'ailes d'un papillon au Brésil peut-il provoquer une tornade au Texas ?») dit pratiquement la même chose. **Chacun de nos actes a des conséquences qui nous dépassent. Il n'existe pas de limites, tout est relié, tout est possible.** Porter ce regard neuf sur nous, sur la maladie, sur la santé, sur ce qui nous arrive, et sur le monde, nous permet d'aborder les choses autrement.

Après ces quelques explications, Grand-Mère Maha qui m'appliquait maintenant un mélange plus épais, une sorte de tourbe, sur tout le corps, me demanda :

- C'est bien d'une maladie auto-immune dont tu souffres ?

- E-ec-tiv-ement !

Grand-Mère Maha continuait à me questionner tout en me malaxant de plus en plus profondément et elle pétrissait maintenant avec limon et humus ou que sais-je.

- Est-ce à dire qu'une partie de toi se bat contre une autre partie de toi ? Ce doit être terrible de savoir que, en quelque sorte, c'est toi-même qui te fais tout ce mal, qui t'auto-détruit de la sorte.

- a-belle-jambe-que-os-ex-pli-ca-tions !

- Et si le combat pouvait cesser faute de combattants ? Et si le chemin que tu as entrepris d'abord dans la forge du vieux Cramh, te permettait de t'accepter plus totalement comme tu es ?

- Mé-ro-blemes-2-cent-thé-chons-un-sûr-mon-tabl

Grand-mère Maha me dégagea un peu plus la bouche.

- Mes problèmes de santé me paraissent aujourd'hui insurmontables. Pourtant ils se résument en simplement trois noms, que même la médecine allopathique ne sait pas résoudre, alors ... ?!

- Je ne vais pas te faire croire à une guérison miracle, je ne suis ni sauveuse ni charlatant. Mais simplement je sais que ce dont tu souffres fait partie d'un système plus vaste, et que comme dans tout système, si tu tires un fil là, cela peut tout détricoter ailleurs. Si tu bouges un élément d'un système vivant et complexe, l'ensemble du système et de ses éléments se remet en mouvement pour s'inventer de nouveaux équilibres. La psychologie nous a rappelé le lien entre corps (soma) et esprit (psy) que ce soit pour la pathologie ou la thérapie. Mais on peut aller beaucoup plus loin, nous inclure toutes entières, nous et le reste du monde. Imagine alors la force de la douceur d'un chant ancestral de guérison, imagine alors les bouleversements que peuvent engendrer le « massage » que je te procure, imagine les transformations que peuvent engendrer tes prises de conscience... Comme un tremblement de terre. Et puis plutôt que de chercher à lutter contre les symptômes, je te propose d'aller à l'essence du processus, pour ne pas dire l'essentiel, voire le spirituel ou l'esprit. Plutôt que de lutter, nous pouvons accompagner ce qui s'exprime là avec tant de force. De même qu'en Aïkido on n'oppose pas de résistance à une force brute, mais on l'accompagne, on l'amplifie, jusqu'à ce qu'elle déstabilise l'agresseur emporté par son propre élan, on ne s'oppose pas frontalement au débordement d'un fleuve, mais on canalise sa force en créant des déviations. Et si la crue est trop puissante on trouve ou on invente des dérivatifs. Et sur ces bras d'eau nouvellement créés pourquoi ne pas ajouter un moulin ? Il y a là tant de force, et par ailleurs tant de grain à moudre ! Certaines thérapies cognitives vont proposer des « prescriptions de symptômes » à celui qui s'épuise depuis trop longtemps à lutter contre une partie de lui. Un chaman écoutera avec son patient le sens profond de ce qui se dit, s'exprime, et ensemble ils prendront acte de la force en présence, qu'ils l'appellent « esprit » ou « énergie ». Ils négocieront avec ou lui permettront d'autres voies d'expression.

-Je ne comprends rien à ce que vous me dites. Concrètement, vous pouvez faire quelque chose pour mon syndrome qui empêche mes glandes de produire, salive et larme ? Ou pas ?

- « Pour » ton syndrome, rien ! « Contre » ton syndrome rien non plus d'ailleurs ! Mais je te connais, ma petite fille ! Tu as dû te montrer très forte, ma chère enfant. A un moment, cela a dû être tellement important pour toi de montrer que tu étais une grande qui ne pleure pas !

Maha appuya ses doigts pleins de terre sur mes tempes. Je les sentis comme s'ils s'enfonçaient dans mon crâne à la recherche de souvenirs. Une odeur acre me vint en même temps que des sensations et des images qui s'enchaînaient. J'étais en présence de mon père qui ravalait sa colère, sa tristesse, et les humiliations du travailleur immigré devant le déclassement social, devant la difficulté à nourrir sa famille, devant les moqueries des idiots.

- Vous n'allez pas me dire que c'est aussi simple que ça ? Juste une petite fille qui veux que son papa soit fier d'elle et qui s'interdit ainsi elle aussi de pleurer ?

- Je ne te dis pas que c'est aussi simple que cela ! C'est juste un premier souvenir, juste un élément parmi des centaines. Mais rassure-toi, ni toi ni moi, n'avons besoin de tout « comprendre ». Par contre, nous pouvons poser des actes et ainsi te permettre de te réapproprier ta capacité à trouver de nouveaux équilibres.

Il me semblait que ses doigts s'enfonçaient plus avant dans mon crâne. J'avais mal. Je sanglotais doucement. Elle continuait à trifouiller. Quelques gouttes s'arrachèrent à mes yeux. Miracle, je pleurais ! Pas beaucoup, juste assez pour savoir que c'était possible. Si on m'avait dit un jour que quelques larmes m'apporteraient autant de joie...

- Pour ce qui est de ton lupus, ton loup, tes taches sur le visage, le vieux Cramh t'a bien aidé à faire un masque, mais... ce que tu as entrepris avec le vieux Cramh n'est qu'un début, nous verrons cela ensemble plus tard.

- Ce que je ne vous ai pas dit, c'est qu'il y avait aussi une complication. On m'a aussi diagnostiqué une « *Sclérodermie* », ce qui signifie que ma peau devient de plus en plus sèche et dure.

- Comme celle d'un éléphant ?

- Ce n'est pas drôle ! C'est terrible, et encore plus pour une femme, de sentir sa peau se dessécher, durcir et se tanner par endroit !

- J'aurais dû dire « pachyderme » qui veux justement dire « Peau épaisse » ! Tu es en train de te couvrir d'une vieille peau trop dure ? Comme une carapace qui devrait être là pour te protéger et t'empêcher maintenant tout mouvement. Comme ces assurances censées nous protéger et qui toujours nous ponctionnent et ne sont plus là quand nous avons besoin d'elles. Tu es bien placée dans ton travail pour voir de quoi je parle !

Le lien que faisait grand-mère Maha avec mon travail dans les assurances me toucha. Jusqu'alors je m'étais toujours demandée comment j'étais arrivée dans ce secteur d'activités. Maintenant, je voyais bien comment mes clients, la société et moi-même essayions de nous protéger de tout... au risque de nous scléroser. J'avais eu besoin d'être rassurée, d'un sentiment de protection renforcée... j'étouffais maintenant.

- Comment trouves-tu la carapace qui te recouvre maintenant ?

C'était vrai ! Je n'avais pas réagi, mais Maha ayant fini son massage, m'avait enduit tout le corps d'une épaisse couche de boue, d'argile ou de je ne sais quoi. Avec le soleil cette seconde peau était en train de sécher. Elle était devenue dure comme une vieille peau d'éléphant, à l'exacte image de ce dont nous parlions, comme une sorte d'acmé de mon ressenti face à cette « *Sclérodermie* ». Maha reprit de plus belle son chant sur la « *Pacha Mama* » tout en m'appuyant encore plus les mains sur les tempes. J'avais l'impression d'avoir une carapace de tortue, ou d'être enfermée dans une armure, un scaphandre. J'avais de plus en plus chaud. Je transpirais peut-être un peu ? Maha chantait toujours. On eut dit que des vieilles femmes s'étaient jointes à son chant. J'entendais des dizaines de voix de femmes maintenant. Elle posa ensuite ses mains sur mon ventre. J'eus l'impression qu'elle appuyait de façon à m'écraser sur le sol. La voix multiple et sans âge de Maha scandait rythmiquement le nom de « *Patcha Mama* ». Elle appuya si fort que j'eus l'impression que le sol s'ouvrait dans mon dos. J'eus l'impression d'être avalée, dévorée, engloutie par la terre. Je ne pouvais ni bouger, ni crier, ni rien voir. Juste le nom de « *Patcha Mama* » qui résonnait en boucle dans mes oreilles, le goût amer de terre dans la bouche, et un poids terrible sur chacun de mes membres. J'avais été comme absorbée et ingérée dans le ventre de mère terre. Le battement que j'avais entendu tout-à-l'heure en rencontrant le rocher avait repris de plus belle, plus fort, plus grave et accompagnait maintenant le chant de la « *Patcha mama* ».

- Écoute le rythme du cœur de la terre, c'est lui qui va t'enseigner la médecine de la terre, à toi, son enfant. Car oui, tu es enfant de la terre, issue des fanges des boues originelles, comme chaque être vivant ici-bas. Nous sommes tous ses enfants. **Reçois maintenant l'initiation de la Terre**, de *Gaya*, de Terre-Mère.

Le battement était plus puissant que jamais.

Il dura, dura, dura.

Je perdis bien vite toute notion de temps, si tant est que « *vite* » veuille encore dire quelque chose à ce moment-là pour moi ! Comme avec le rocher, il me sembla que le temps avait suspendu son vol.

- La Terre peut t'enseigner le temps long. Elle t'offre et te confère un « *super pouvoir* »

Intéressée, je demandai :

- Lequel ?

- Celui d'attendre !

J'étais déçue de m'être encore laissée prendre. Maha continua :

- Des jours, des mois, des années, des milliers d'années, des millions d'années, des milliards d'années. La terre a tout le temps et ainsi elle peut nous enseigner la grande sagesse de celle qui sait que « **cela aussi passera** » (quel que soit ce que tu appelles « cela »). Tes joies, tes peines, tes doutes, ce que tu trouves si important, … tout cela aussi passera.

Maha jetait encore quelques poignées de terre sur mon corps déjà bien recouvert. Elle faisait cela comme un semeur, ou comme les poignées que l'on jette sur un cercueil pour une mise en terre, comment savoir ? Elle continuait son geste, poignée après poignée, en rythme.

- Patiemment, couche après couche.

J'avais l'impression d'avoir des tonnes de terre sur moi depuis trop longtemps. C'en était devenu très désagréable. Chaque partie de mon corps, comme écrasée, me rappelait son existence.

- De strate en strate, de plus en plus dans la matière. **La terre nous rappelle que si nous sommes des êtres pensants et des êtres spirituels, nous sommes aussi des êtres incarnés.** Couche après couche, elle a modelé ton corps, atome par atome. Os, chair, organes, peau. Couche après couche. Ton corps est modelé par la terre.

J'avais l'impression de faire partie d'un immense processus de sédimentation.

Le tambour, le chant que Maha reprenait éternellement entre chacun de ses enseignement et la pression tellurique exercée de toute part sur mon corps, m'avaient obligée à abandonner toute velléité de mouvement. Je n'avais plus ni l'envie de bouger, ni même aucun espoir de faire à nouveau un geste un jour ou encore de croire en la possibilité d'une initiative personnelle. Par la même, étonnement, cela m'avait plongée dans une profonde détente, j'avais comme abandonné une pression. J'étais comme un cailloux, comme un petit animal ou *une petite d'homme* qui ne se pose pas de question.

- La terre est ronde comme un tambour. A son échelle, êtres vivants, humains, animaux, végétaux et autres, nous tenons tous à sa surface. Nous vivons, bougeons, dansons, aimons, mourons à la périphérie du grand cercle de la Terre. Et ainsi **dans le grand cercle, nous sommes tous à égale distance du centre, du cœur de la terre, car nous sommes tous les enfants de la terre**.

Toujours plus profondément, il me semblait que la terre m'ingérait toujours plus.

- **Le chemin vers le centre-coeur de la terre, c'est celui qui nous invite à nous baisser, à nous agenouiller, à nous prosterner, nous abandonner. C'est le chemin de l'humilité et de l'humus.** Alors la Terre nous apprend que la régénération, la transformation, que la conception, que le principe même de la vie se fait en son sein, en sa matrice, en son cœur, en son centre. Et sais-tu pourquoi la gestation, et la transformation ne peuvent se faire qu'à l'intérieur d'une matrice ? Sais-tu ce qu'il y a dans le centre de chaque matrice, dans le centre de la terre ?

- Non ! j'aimerais le savoir, dites-moi !

- Rien, le centre est toujours vide ! Comme le centre d'un mandala ou d'une roue, le centre est vide et c'est pour cela qu'il est la matrice de tous les possibles, de toutes les incarnations. Il est le moyen qui permet à tout de tourner. La terre tourne car elle possède un espace vide en son centre, qui est la matrice de l'incarnation de tous les possibles, bien protégée, à l'abri en son sein. C'est vrai aussi d'une mère. Tout tourne autour de cela, grâce au vide au centre.

Maha reprit son chant, jusqu'à la fin des temps, accompagnée du martellement sourd. Je ne luttais plus contre la pression ou l'attraction qui m'écrasait il y a encore quelques instants. Enfermée dans ma carapace graveleuse, je découvrais que l'attraction entre la Terre et moi était devenue réciproque. Quel beau mot d'ailleurs que le mot « *attraction* » pour qualifier la force qui nous lie à la Terre. Plus que jamais, j'éprouvais que cette attraction était comme un lien d'Amour. Pour la première fois de ma vie, je me sentis totalement aimée par ma Mère-Terre. Je vis tout aussi fortement mon cœur s'ouvrir en retour vers « Gaya » et mes larmes de nouveau se déverser, ce qui était encore impossible hier. Je compris que cette mère absolue m'aidait à relativiser et combler les manques de ma mère biologique imparfaite, et de la mère de Kilian, tout aussi imparfaite, que j'étais également.

Le temps infini me laissa là, apaisée, jusqu'à ce que Maha me murmure à l'oreille :

- Il est temps de naître encore une fois enfant de la terre !

CHAPITRE 14

Après ces paroles de Grand-Mère Maha, je découvris une grande force en moi, un élan, un mouvement intérieur. Quelque chose qui ne venait pas de ma tête, pas une idée... Plutôt une pulsion, qui me poussait maintenant vers l'extérieur, une attraction provenant d'un hors de moi et d'un au-delà de moi. Quelque chose qui s'imposait avec une impétueuse nécessité. Mon corps se réveillait, il avait envie de naître à nouveau, de se mouvoir, de courir, de boire, de manger, de faire l'amour, de grimper, de sauter, de nager... de vivre. Ce n'était plus ma tête ! J'étais toujours pensées et esprit, mais j'étais aussi et surtout Corps et Esprit.

Mes premiers micro-mouvements se heurtèrent à la carapace boueuse qui m'enveloppait et qui avait totalement durci en séchant. Elle marquait comme une frontière infranchissable entre moi et le monde, entre moi et les mouvements de la vie qui ne demandaient qu'à s'exprimer.

Une force, pleine d'enthousiasme que je ne me connaissais pas, s'empara de moi, me fit tendre les muscles pour tenter de me projeter hors de ma coquille. Le blindage de mon bouclier, de cet exosquelette, de ma *Sclérodermie,* se fissurerait ici et là. L'enveloppe de ma cuirasse craquait à grandes plaques et grands renforts de bruit. Ce n'était plus simplement une terrible peau d'éléphant, c'était déjà la mue d'un serpent.

Je m'extirpai bientôt de ma chrysalide avec une joie et une sensation de naissance et de vie renouvelée. Je retirai pour terminer le masque de boue et retrouvai l'air frais et la lumière.

J'étais encore toute éblouie et toute à déguster cette métamorphose, tel un papillon qui se découvre si différent au sortir du cocon, quand Grand-Mère Maha me dit :

- Oiran, Fille de la terre, il te faut maintenant personnaliser ton masque de terre.

Je tenais dans mes mains le morceau de terre mêlé à mon sang avec lequel j'avais façonné mon Icar et que Maha m'avait écrasé sur le visage. Il portait maintenant l'image de mon visage en négatif, en creux. Je compris que Maha y voyait un nouveau masque et une nouvelle occasion :

- Mais j'ai déjà fait un masque avec le vieux Cramh vous savez !

- Ce sera très différent ici, maintenant, avec moi. Sais-tu que lors de leur initiation, les jeunes filles Huicholles doivent décorer de perles un récipient.

- Qu'y a-t-il d'étonnant à cela ? Quel rapport avec moi ?

- Ce qui est étonnant pour une occidentale, c'est que ces jeunes filles qui deviennent des femmes, décorent somptueusement, en s'appliquant de leur mieux, uniquement l'intérieur de la coupe ! L'extérieur reste brut. L'intérieur révèle un joyau, à tel point que le récipient en devient inutilisable pour des usages habituels. Mais l'intérêt est ailleurs. C'est la beauté de la matrice, intérieure, cachée au regard, qui est ainsi magnifiée.

J'avais compris où elle voulait en venir et déjà ramassé quelques petites fleurs de clématites et de sérapias qui étaient à nos pieds. Je tressai une sorte de nid d'herbe douce pour le fond de ma coupe. Je pris beaucoup de plaisir à décorer ainsi uniquement l'intérieur de mon masque de terre. Joie de jouer ainsi entre couleur et douceur, en son sein presque inaccessible, non ostentatoire et loin des regards. Maha bien évidement avait entamé un nouveau chant, presque printanier et sautillant celui-là. Elle avait recouvert ma nudité de son châle et me regardait avec bienveillance, m'encourageant de petits froncements de sourcils. Je me surpris à chantonner un peu avec elle par moment. Mon renard, qui avait joué dans les bosquets, m'apporta au bout de son museau des traces de poudre de bouton d'or que j'époussetai délicatement sur le fond de ma jatte.

Quand j'eus fini, je voulus contempler mon œuvre. Je ne savais dire s'il s'agissait encore d'un masque aveugle ou d'une coupe rayonnante de l'intérieur ? Ma « *déco intérieure* » scintillait sous l'éclat du soleil en mille harmonies et chatoiements. C'était simplement magnifique. Je ressentis un brin de fierté me gratter la commissure des lèvres. C'était effectivement très différent du masque fait avec le vieux Cramh !

Maha m'invita à porter à nouveau le masque sur mon visage. Je recouvris ma face et mon rouge lupus avec ce masque de douceur et de beauté. Naturellement il m'allait comme un gant, puisque moulé sur mon propre visage. Si je ne voyais plus les couleurs, je sentais le parfum des fleurs et leur douceur contre ma peau.

Maha me glissa un objet dans la main. Elle leva ma main devant mon visage.

- Que vois-tu dans ce miroir ? Me dit-elle.

- Rien. Vous savez bien qu'il n'y a pas de trou pour les yeux à mon masque !

- Et si je perçais des trous ? Que verrais-tu à ton avis dans ce miroir ?

- Rien, également. Ou juste un peu de terre brute et informe qui cache un visage.

Je souris et devinai que Maha fit de même.

- Prends bien soin de ce trésor, de cette merveille cachée à l'intérieur que ceux qui n'ont pas appris à voir ne peuvent voir. C'est une grande source d'inspiration pour ceux qui voient ce qui est caché et savent le secret. C'est une grande source d'incompréhension pour ceux qui ne peuvent voir ce qui est caché à l'intérieur. Certains vont même jusqu'à voiler leurs femmes, parce qu'ils ne savent pas que c'est simplement le trésor du féminin, celui de leurs femmes, et le leur aussi, qui est toujours voilé et caché à l'intérieur, par humilité et parce qu'il est trop précieux et fragile pour être exposé à tous vents. C'est là la cause de beaucoup de malentendus et aussi la cause de beaucoup de souffrance malheureusement !

J'étais très touchée par les remarques de Maha. Je retirai mon « *masque intérieur* » de mon faciès, et le portai contre mon cœur en en prenant bien soin.

- C'est là que commence aussi pour toi une autre initiation importante; tu viens d'apprendre à tourner ton regard vers l'intérieur, vers le plus petit, vers le très bas, vers le plus subtile. De la même façon, avec beaucoup d'entraînement et de délicatesse, tu peux apprendre à voir et percevoir la beauté et la magie de tout ce qui était jusque-là encore imperceptible. **Tu peux apprendre à voir l'invisible !** Les chamans et bien d'autres voient naturellement ce qui est à l'intérieur des choses, l'essence invisible pour le plus grand nombre.

Je m'aperçus que quelque chose d'important était en train de se passer pour moi. Oh, bien entendu, ce n'était pas comme si tout-à-coup je m'étais mise à voir des fées, des elfes, des vouivres et je ne sais quoi encore. Mais j'avais envie, et j'avais appris à porter un autre regard autour de moi. Je savais, je sentais... C'était plus simple que les récits qu'on m'en avait fait, ou ce que j'en avais imaginé... C'était comme si, en plus de la nature sous mes yeux, une sur-couche s'était ajouté. Ou plutôt, comme si ma vision jusqu'alors trop matérialiste s'était déchirée en même temps que ma carapace et me laissait à voir sa nature plus profonde, vivante, parsemée de couleurs vives et d'énergies en mouvement.

Je l'exprimai de mon mieux à Maha en ces quelques mots :

- Je vois, je sens, comme si tout autour de moi était plus vivant. Comme si chaque élément du monde qui m'entoure était désormais enrobé d'une enveloppe sensible et vibrante.

- Ce que tu perçois là à présent, d'autres le perçoivent depuis bien longtemps. Dans les anciennes traditions on appelle souvent cela « *le monde du milieu* ». Le monde du milieu n'est autre que notre monde de tous les jours, dès qu'il est perçu avec sa nature sous-jacente, jusque-là invisible. Alors il devient comme magique, et pour nous, divinisé et sacré.

Je ressentais une grande émotion devant ce que je perçus comme un dévoilement important pour moi. J'étais là, bien, plus vivante que jamais, dans ce jardin que je percevais comme plus vivant que jamais également. Il y avait Grand-Mère Maha, mon renard, un vent joueur qui faisait onduler fleurs et branches et des milliers de points lumineux qui dansaient tous la farandole sous mes yeux.

J'entendis alors, pratiquement simultanément, Grand-Mère Maha et Mon Icar me dire :

- Te voilà prête pour un grand changement.

« Entends voyante,
ce que ne voit le commun
lumière est lumière »

J'accueillis d'un même sourire les deux invitations. Je ne m'inquiétais plus de savoir d'où venait la voix. Je ne m'inquiétais plus de savoir où Sunfox avait bien pu cacher mon sac, avec toutes les affaires de ma vie d'avant. Je ne m'inquiétais plus de savoir si j'allais guérir rapidement ou pas. Je ne m'inquiétais plus pour Kilian. Ce n'est pas que je me moquais de tout cela, bien au contraire, j'étais plus ardemment aimante que jamais de mon fils. C'est juste que tout cela avait perdu la force de me fasciner et de m'inquiéter.

Une joie profonde et un sentiment de communion montait en moi en même temps que le vent grandissait dans les branches aux alentours.

Grand-Mère Maha regardait fixement la lisière de la forêt, d'où venait le vent. Elle me dit alors en me nommant :

- Tu es « Oiran Doshu » maintenant, et il est temps de te mettre en marche...

CHAPITRE 15

Toujours plus prompt que moi, Sunfox avait déjà fait quelques pas vers la lisière. Avant de le suivre, je dus me rhabiller. Maha passa de la fumée de sauge sur mes vêtements avant de me les tendre.

- Ce n'est pas qu'ils soient sales ! C'est que je suis attentive au fait que tu ne reprennes rien de l'ancienne carapace.

La douce odeur de la sauge m'enveloppait plus sûrement et sereinement que mes vêtements.

Malgré les couinements d'impatience de Sunfox, je pris le temps de saluer et remercier Grand-Mère Maha dans une étreinte qu'avait su éviter le vieux Cramh. Grand-Mère Maha, elle, n'était pas avare de ses épanchements en cette communion...

Je fondis dans ses bras ....

... puis me mis en marche vers la lisière sur les pas de mon renard. Après quelques instants, comme si elle avait deviné mon intention, Grand-Mère Maha me héla :

- Ne te retourne pas ! Va ! Va toujours devant toi. Va vers les endroits de nature les plus beaux que tu trouveras. **Tu apprendras ainsi à voir la beauté. Et quand tu auras appris à voir derrière la beauté, les forces invisibles qui la sous-tendent, alors, tu pourras voir la beauté en toute chose, en chaque endroit, en chaque être.**

Je continuai donc à avancer, portant mon regard neuf et émerveillé sur toute la beauté de ce parc. Je fus d'abord attirée par de grandes gentianes jaunes sur le bord du chemin. Je poursuivis mon exploration de ce petit éden, de fleurs en fleurs, d'arbustes en parterres, de buissons en futaies, ... jusqu'à la lisière de la forêt.

Mon renard m'attendait là. Il n'avait pas été plus loin. Il reniflait truffe au vent les effluves boisées charriées par la brise. La lisière était marquée par un simple muret de pierres qu'il eut pu facilement enjamber.

Je ne m'étonnais même plus d'entendre dans ma tête les échos de mon « *Icar connu et intégré* ».

> « *Il n'y a qu'un pas*
> *du jardin à la forêt ;*
> *Muret sépulcral* »

Je franchis le petit mur de pierre en devançant mon renard, ce qui n'était pas dans son habitude. Je remarquai immédiatement qu'il n'y avait plus aucun chemin et cela me rendait encore plus libre de poursuivre mon exploration comme bon me semblerait dans cette forêt. La beauté du lieu était différente de celle du parc. Il n'y avait pratiquement plus de fleurs, mais un joli sous-bois et aussi quelques ronces qui ne manquèrent pas de me griffouiller les genoux. Il y avait surtout de grands arbres ! Et plus je m'enfonçais, plus les arbres étaient grands. A chaque pas, la forêt devenait plus sauvage et les arbres plus majestueux. La canopée filtrait la lumière. Je crois qu'il y a un mot en japonais pour évoquer ces doux rayons à travers les feuillages, « *Komorebi* » (je cherche toujours son équivalent en français). Il n'y avait plus ici aucune trace de la présence de l'Homme. Je perçus encore plus intensément les forces alentours qui n'avaient plus rien d'humaines ! Plus que jamais, j'avais conscience combien tout était vivant, sensible et même conscient autour de moi. Ma reliance avec la nature était comme décuplée dans cette connexion à une part plus sauvage. Tout comme le miroitement de la lumière sur les feuillages venait frapper mon regard, les esprits de cette forêt venaient frapper à ma porte.

Je m'adossai un moment à un grand cèdre. Son envergure avait dégagé sur le sol un espace plus clairsemé à son ombrage. Son imposant tronc rugueux indiquait son grand âge. J'étais à ses côtés comme avec Maha ou avec le vieux Cramh. **Je savais maintenant que « *vieillesse* » pouvait rimer avec « *sagesse* ».** Le grand âge de mon cèdre me fit penser à mes grands-parents paternels que je n'avais jamais connu. Certains cèdres viennent eux aussi de l'Atlas. Je me pris, dans ma rêverie, à voir ce cèdre comme un lien possible avec, d'un côté, mes ancêtres paternels originaires de cet Atlas, et de l'autre, ceux qui avaient leurs racines bien ancrées ici. Je comprenais en mon fort intérieur pourquoi on parlait d' « *arbre généalogique* ».

> « *Entre ciel et Terre*
> *Racines plongent profondément*
> *qui veut la lumière.* »

Ainsi assise, dos contre écorce, Sunfox vint se blottir contre moi. Il semblait fixer un point dans le feuillage du grand arbre. Mes yeux aussi se perdirent dans le vague. Le vent qui soufflait maintenant plus dru faisait onduler, craqueler et chanter les branches. Il engendrait une infinité de mouvements différents pour chacune d'entre elles, et pour celles de tous les arbres de la forêt. Le vent s'intensifiait, la danse sylvestre n'en était que plus séduisante. Mes yeux restèrent encore longtemps ouverts, subjugués par cette sarabande.

Progressivement, la ronde de la « *farandole des vieilles branches* » laissa apparaître furtivement des visages. Il me sembla d'abord voir mes parents danser tels des écureuils dans le feuillage. Cela me fit sourire, et mes parents laissèrent la place à leurs propres parents, mes grands-parents. La danse se fit spirale grandissante et son tourbillon me présentait maintenant des êtres inconnus qui m'avaient précédé, mes ancêtres ! Nous étions là à nous contempler, emportés ensemble par la danse des branches du cèdre dans cette grande farandole. A travers le temps et l'espace, notre curiosité était réciproque devant le mystère de la filiation et de la vie qui se perpétue. Naissait en moi un profond respect enjoué pour les aïeux auxquels je n'avais jamais pensé auparavant. Je pensais aussi que j'étais déjà presque une sorte d'ancêtre pour Kilian et ses futurs descendants.

La danse ancestrale était devenue folle. La ronde se fit cavalcade. C'était une explosion de vie, de joie, de peine, d'espérance... et de mort aussi.

Un grand bruit me fit sursauter. Était-ce le tonnerre ? Je pensai à vite rejoindre Maha avant que l'orage n'éclate.

Mais avant cela, je voulus faire une offrande à l'arbre et à mes ancêtres, comme me l'avait appris le vieux Cramh et grand-Mère Maha. Je n'avais rien à offrir sur moi. Je mouillai donc mon doigt avec ma langue et déposai quelques gouttes de salive au creux de l'arbre. Une eau source de vie, pensais-je, espérant que l'intention suffirait, sachant je rendrai hommage à mes ancêtres à d'autres occasions, maintenant que je sentais le fil qui nous reliait. Je comprenais que je ne serai plus jamais seule car à présent, **je vis avec les esprits et les ancêtres.**

Le vent redoublait, il sifflait dans les branches. Je vis même, soudain, le halo d'un éclair au loin. Plus de doute, ça allait barder ! Il fallait me hâter. Je me mis en route, d'un pas rapide et altier.

Les bourrasques apportaient maintenant une petite pluie. Nous marchions vite Sunfox et moi, traçant tout droit. Mais allions-nous dans la bonne direction ? Sunfox semblait attendre que je me décide au lieu de me devancer comme à son habitude.

De puissantes rafales d'averses nous battirent bientôt le visage. Je ne savais plus où me diriger. Il fallait me rendre à l'évidence : nous étions perdus !

Les hautes branches avaient à présent un aspect inquiétant, masquant les derniers rayons du soleil sans nous protéger nullement de la pluie. L'orage se transforma même un instant en giboulée de grêle et il faisait presque nuit. J'avais froid, j'avais faim, j'étais trempée, je grelottais, je commençais à avoir peur aussi. J'avançai de mon mieux, quasiment à l'aveugle. Il me sembla passer près de mon cèdre deux ou trois fois au moins ! Est-ce que je tournais en rond ? A un moment la foudre frappa si près qu'elle m'aveugla et me rendit pratiquement sourde pour un temps. La terre se faisait boue et ralentissait notre marche forcée. Cette même forêt que j'avais trouvée si belle tout-à-l'heure était devenue comme un vilain piège dont je n'arrivais pas à m'extirper. Abattue, j'étais perdue dans la forêt et en mon fort intérieur.

Je restai là sous la pluie battante, apeurée, dégoûtée, et en colère contre ma naïveté et contre les éléments. Je broyais du noir, couleur de la nuit tombée, abattue, rincée.

CHAPITRE 16

Depuis combien de temps étais-je là, trempée, sous pluie battante, dans cette forêt inextricable ? La nuit et la pluie s'étaient sans doute entendues pour ne jamais cesser !

Au paroxysme de ma fatigue, de mon dégoût, de ma lassitude et de mon épouvante, je crus entendre une voix au loin. Ce n'était pas un chant, plutôt un cri. Je pensai que Maha et le vieux Cramh étaient venus à ma recherche. Mais le cri ne ressemblait pas un appel. Il me donnait plutôt envie de déguerpir à toutes jambes dans la direction opposée. Un autre, plus strident encore, vint du même endroit d'où je crus distinguer une faible lueur, mais ce n'était certainement pas une lueur d'espoir ! Sunfox, les oreilles aux abois, avait reprit les commandes et avançait à pas prudents dans la gadouille en direction de la pâle luisance. Avais-je un autre choix que de le suivre ?

Lueur et cris se faisaient plus intenses au fur-et-à-mesure que nous approchions. Au vibrato que faisait la lumière je devinai qu'elle provenait d'un feu plutôt que d'un éclairage continu. Depuis ma rencontre avec le vieux Cramh je savais que le feu pouvait être l'ami des hommes. Un feu sans nul doute allumé par des humains, mes frères et sœurs, pour se réchauffer eux aussi avec ce sale temps. Des humains qui ne manqueraient pas de me donner hospitalité. Et qui sait, peut-être avaient-ils construit un abri où nous serrer, et avaient-ils de la nourriture à partager ? Bref, je me réjouissais de ce retour vers les humains, vers la civilisation.

Je m'approchai encore. Je vis le feu, enfin.

Il brasillait, ardent.

Ce n'était pas un feu allumé par des Hommes. J'avais devant les yeux l'œuvre d'un Zeus déchaîné. Les restes d'un arbre foudroyé, éventré, qui se consumaient dans la fournaise. Tronc explosé, dévoré par les flammes, branches éclatées, encore fumantes. Je fixai cette image de destruction, éclairée tantôt par le brasier lui-même, tantôt par les éclairs environnants.

C'est seulement quand elle passa entre le feu et moi, que par le jeu des ombres chinoises, je vis sa silhouette. Une sauvageonne gesticulait à demi nue dans un grand fatras de beuglements, de grognements et de sauts hystériques devant l'effroyable feu.

Je reculai d'un pas et poussai un petit cri qui me trahit. Elle se retourna vivement. Elle me vit !

Elle était là, me fixant de ses yeux exorbités, me dominant de sa stature titanesque, me déchiquetant d'avance de ses dents acérées, de sa bouche grimaçante, me menaçant de ses bras désarticulés, de ses doigts griffus, me figeant de sa danse macabre, m'épouvantant de son collier de crânes, me dégouttant de sa bave éruptée, me glaçant de ses cris inhumains, me déchirant de toute sa furie, ... me fascinant de toute sa puissance sauvage !

Vision d'apocalypse que celle de ce feu destructeur, de ce sang sacrificiel répandu à même le sol et dégoulinant encore du corps de la démentielle créature exultante, de la lune pâle témoin, entre les nuages, de ce sabbat sardonique.

Je luttai de toute ma raison pour refuser de reconnaître Grand Mère Maha dans cette déesse courroucée, et le vieux Cramh dans ce feu tombé du ciel.

Je luttai.

En vain !

C'était bien eux !

Mon épouvante fut plus forte que leur ensorcellement. Une frayeur panique s'empara de moi comme d'une simple nymphe poursuivie par le dieu Pan.

Je sentis que la terrible Maha pouvait me détruire d'un seul clignement d'oeil. Avant qu'elle ait pu faire le moindre geste à mon encontre, je détalai, fuyant droit devant, me cognant, me griffant sans rien ressentir, emportée par mon élan. Dans ma course, ma peur se transformait en colère contre cette Maha qui me trahissait ainsi. Tout ce qu'elle m'avait dit et enseigné n'était que sornettes ! La nature était un horrible lieu inhospitalier, et celle que j'avais prise pour une mère spirituelle n'était autre qu'une vulgaire sorcière, une harpie, une pie-grièche aux bras de bouchers.

Je fuis à toutes jambes et de toutes mes tripes dans ce labyrinthe végétal, de déception, de trahison et d'amertume, lacérée de ronces, jusqu'à m'écrouler de fatigue.

CHAPITRE 17

Depuis combien de temps étais-je là, trempée, sous pluie battante, dans cette forêt inextricable ? La nuit et la pluie s'étaient sans doute entendues pour ne jamais cesser !

La vision cauchemardesque, tout autant que ma course effrénée, m'avaient lessivée, laminée.

Avec le temps je repris cependant peu à peu mon souffle et mes esprits.

Peu à peu.

Toutes mes nuits allaient-elles être aussi horribles après que j'ai connu l'éclat d'une après-midi bucolique?

Peu à peu se distillait en mes veines un apaisement, somme toute relatif.

Peu à peu.

Je songeai alors à la terrible tempête que je venais de traverser ! Je n'évoquais pas seulement l'idée d'une tempête de vents et de précipitations. Je constatais que j'avais été totalement traversée par un ouragan intérieur. Il y avait bien sûr la tempête extérieure, il y avait bien sûr Maha et Cramh ensauvagés, mais il y avait aussi et surtout les torrents émotionnels qui m'avaient ravagée et laissée exsangue.

Femme de peu de foi que j'étais ! Il avait suffit d'un gros orage pour que ma vision de la beauté de la nature, par trop récente pour être totalement intégrée, ne se défile aux quatre vents. Il avait suffit que je découvre Maha, son double maléfique, tout autre que ce que j'imaginais et attendais d'elle, pour que le doute me gagne et que je la juge. Il avait suffit qu'en me reliant avec mes ancêtres, une image de la mort s'impose, pour que je ne crois plus en la vie !

Il suffit !

> « *Seule, seule, seule, seule, seule*
> *seule, seule, seule, seule, seule, seule, seule*
> *seule, seule, seule, seule, … tout !* »

Quelque chose, une petite voix plus grande, essayait de se frayer un passage en moi. Je luttai contre, je luttai pour !

Je me souvins alors d'une vieille histoire de sagesse amérindienne :

- Tu sais comment on reconnaît un bon chaman ?

- Non

- On dit qu'un chaman est un bon chaman s'il fait toujours beau à ses cérémonies !

- Bien sûr !

- Tu sais comment on reconnaît un mauvais chaman ?

- J'imagine que c'est s'il pleut parfois à ses cérémonies !

- Exact ! Et sais-tu comment on reconnaît un «Excellent Chaman » ?

- … Non …

- C'est celui qui accueille le soleil quand il fait beau à ses cérémonies, et qui laisse pleuvoir quand il pleut.

Je m'interrogeai alors sur ce que j'appelais « *une belle journée* » ? Juste une journée ensoleillée ? Ou est-ce que je suis capable d'accueillir la météo comme elle vient ? Qu'est-ce que j'appelais une journée d'ailleurs ? Juste les heures diurnes ? Ou la nuit et le jour qui se succèdent et se regardent en miroir ?

Après cette journée et cette nuit, comment étais-je capable d'aimer la nature ? Dans un parc à la française, en un mur végétalisé ou dans un vase, avec cette maladive et illusoire envie de délimitation et de contrôle ? Ou étais-je capable de l'aimer telle qu'elle était dans sa nature, sauvage, totale, et toujours m'échappant ?

Je ne savais pas si je reverrais un jour Grand-mère Maha, ni même si j'en avais seulement envie ? Je savais simplement que je ne la regarderais plus jamais de la même façon. Je commençais à entrevoir l'idée que Grand-Mère Maha m'avait peut-être donné *là*, intentionnellement, les prémices de son ultime enseignement. Je ne la verrai plus seulement avec les yeux de celle qui a besoin de l'idéaliser. Oui, Grand-Mère Maha était tout ce que j'ai vu, imaginé, attendu et projeté d'elle toute cette journée dans le jardin. Oui, Grand-Mère Maha était aussi cette furie incompréhensible, libre, sauvage et pure. Elle est surtout plus que tout cela encore ! La terrible Maha m'avait obligée à abdiquer toute velléité de l'enfermer dans une définition.

Au-delà des apparentes contradictions, et sans nier les différences, c'est l'image du symbole du Yin et du Yang qui me vint à l'esprit... Il ne s'agissait plus pour moi de nier ni le noir ni le blanc, mais d'admirer avec quelle intelligence et quelle raffinement ce symbole avait été construit. Il permettait à ses deux pôles de se compléter à merveille dans une représentation de la réalité toute de mouvements et d'énergie. L'un se nourrissant de l'autre et inversement. Sans oublier le point noir au cœur du blanc et le point blanc au cœur du noir, évitant ainsi superbement tout manichéisme et donc tout risque de jugement. Je me délectai de la complétude de ces deux opposés qui ne font plus qu'un et forme alors, enfin, le cercle parfait de l'unité.

Je me délectais de savoir que ce symbole n'était qu'une représentation simplifiée. Je m'enivrais de sentir que la vérité de ces énergies antagonistes qui se complétaient à merveille, était beaucoup plus chaotique, pleine d'énergie, et serait à jamais insaisissable par mon œil et mon petit mental.

Je fus alors étonnée de constater que mes quelques pérégrinations avaient commencé d'apaiser ma colère. **Que devant une acceptation plus large et non duelle, je découvrais une paix nouvelle : La paix du tout.**

Je finis par trouver belle cette nuit, avec sa pluie, ses bourrasques, ses excès... telle qu'elle était !

Tournant un miroir imaginaire vers moi comme l'avait fait Grand-Mère Maha dans l'après- midi, je m'interrogeai sur ce que j'appelais la vie ? Était-ce juste mon petit passage ici-bas ? Ou aussi cet avant, ce début, ce pendant, cette fin et également cet après ? Était-ce juste les bons moments, ou la succession de tous les événements, les actes, les émotions, les états... quels qu'ils soient ? J'imaginai m'intégrer alors dans un cycle de création et destruction qui me dépassait. Ma Maha toute de furie, faisait écho à d'autres terribles dieux et déesses rencontrés et glorifiés jadis : Shiva, Kali, Pan, Cernnunos, Dionysos, ... Encore une fois, je constatai combien était grande la sagesse des anciens qui reconnaissaient le caractère sacré également de l'autre versant ! Quelle omniscience que d'inclure le processus de vie dans un processus plus vaste, sans limite, de vie et de mort, de création et de destruction, de sagesse et de folie, de raison et de passion furieuse...

Cela me permit de sortir ainsi de l'image d'Epinal que j'avais construite. Mon ancienne vision de la vie et de la nature, si séduisante au premier abord, m'avait toujours fait souffrir dans un deuxième temps. Elle venait se heurter régulièrement avec la réalité qui décidément n'était pas du Walt Disney ! Et qu'est-ce qu'une vision de la vie qui ne correspond pas à la réalité ? Une simple fuite ? J'avais maintes fois entendu ces histoires qui expliquaient que le malheur était une punition divine, un mauvais karma, ou le fait de n'être pas aligné à la loi d'attraction. Pourquoi pas ?! Mais toujours cette vision enfantine était venue se fracasser en moi quand on me parlait de morts d'enfants, de famine de toute une population ou de la souffrance, voire de l'extermination, de tout un peuple ! Comment imaginer toute une population fautive ? Comment imaginer un ordre divin et vengeur rendant ainsi une pseudo justice aveugle ? Peut-être que le cadeau de « Maha la terrible » était de m'avoir ouvert les yeux, de m'avoir obligée à percevoir que, si la vie et la nature sont sacrées, il me faudra apprendre à l'accueillir dans son ensemble. Il me faudra apprendre à agir selon mes moyens pour « améliorer » ce qui est améliorable, et à regarder humblement ce contre quoi je ne puis rien, comme une dimension me dépassant, inaccessible, et faisant partie d'un tout à une toute autre dimension.

Quel immense chemin il devait me rester encore à parcourir avant d'apprendre petit à petit à rendre grâce à tout, comme un « Job » apaisé à la fin de son livre.

Je commençai donc cette nuit-là à tenter d'appliquer cette vision plus vaste à ma petite personne et à mon petit niveau. Mes petites imperfections et petits soucis commencèrent alors à s'intégrer de façon chaotiquement harmonieuse dans une sorte de déploiement plus vaste de tout ce que j'étais !

Je commençai à me trouver belle telle que j'étais, simplement. Un peu de paix et de bienveillance avec moi-même, rayonnante alentour.

Peu à peu.

> « Non pas deux, mais un
> Vie et mort, sauvage et doux
> de toute unité »

Peu à peu, au fil de mes réflexions, la nuit -ou était-ce ma vue?- se déchirait par moment, laissant apparaître quelques constellations. Dans le mouvement des arbres courbés par le vent, dans les tourbillons infinis des nuages, avec le crayonnage hachuré de l'ondée et dans les taches que faisaient les étoiles adjacentes, je crus reconnaître quelque chose de « *La Nuit étoilée* » de Van Gogh.

Enfin, peu à peu, la pluie qui finissait tendrement de cesser me trouva simplement contemplative. Le vent n'était plus qu'un souffle dans mes cheveux mêlés de branchages. Les premières lueurs n'allaient pas tarder à poindre. Je me félicitai d'avoir accepté et la pluie, et la furie, et la mort... aussi... un peu... si peu.

Potron-minet faisait déjà des clins d'oeil à mon Renard. Je me remis en route dans les prémices d'un nouveau jour.

La pluie de la nuit et la rosée matinale faisaient comme un minuscule ru sous mes pas. Le ru s'en fut ruisseau, je le suivis. Nous marchâmes un moment tous les quatre ; Sunfox devant, le ruisseau sous nos pas, le jour naissant et moi. Je me sentis revigorée à chaque pas, à chaque seconde qui éclaircissait la nuit, à chaque nouveau chant d'oiseau qui en appelait au soleil. Le ruisseau en rejoint d'autres, formant une petite rivière. Je repensai à la phrase de Saint-Exupéry « *il arriva que le petit prince, ayant longtemps marché à travers les sables, les rocs et les neiges, découvrit enfin une route. Et les routes vont toutes chez les hommes. ...* ». Forte de cette nouvelle envie de retrouver mes semblables, j'avançai longeant l'eau tranquillement, plus assurée que la nuit durant, plus assurée que jamais.

La forêt se clairsema, le jour se levait, la rivière se jetait dans un lac. J'arrivai devant l'étendue au moment précis où le soleil ...

CHAPITRE 18

... pointait ses premiers rayons au-dessus du feuillage, sur l'autre rive. Les heures ambrosiales enflammaient les derniers restes de la nuit avant que les cieux, hésitants, ne se parent de leur bleu du jour. Tout était si limpide et serein à cet instant que j'eus pu en oublier la terrible nuit, s'il n'y avait un petit vent malin, par petits à-coups de fouet, qui me donnait le « la » d'un nouveau jour imprévisible.

Ça allait être une belle journée, quoi qu'il arrive maintenant, évidemment !

Les reflets mordorés sur le lac étaient comme une invitation, je m'approchai de l'eau. Sunfox y bu sans en troubler la surface. Nénuphars jaunes et lotus roses. Un héron s'envola au loin, d'autres oiseaux lui firent écho de leurs vols et de leurs airs.

Je me délestai de mes habits encore humides. J'avais définitivement pris goût à la nudité dans la nature, à communier ainsi de mon corps avec les éléments. J'étalai un peu mes vêtements au cas où ils auraient eu la bonne idée de sécher.

M'avançant quelque peu, le pied gauche m'indiqua que l'eau était froide. Le pied droit, en le rejoignant dans le lac, me dit que « ça irait ». Je progressais prudemment. Le fond du lac terreux faisait comme un tapis tendre de vase, rappel de la douceur de Terre-Mère. A hauteur de hanche, je dus faire un petit effort pour me jeter plus avant; je plongeai.

Une fois le léger choc thermique dépassé et dégusté, je me mis à nager vers le centre du lac. En quelques brasses il me sembla atteindre un centre plus vaste que le simple centre de l'étendue d'eau. Tout me semblait parfait autour de moi, où que je porte mon regard. Et si Salvador Dali s'était trompé ? Et si le centre du monde n'était pas la gare de Perpignan ? J'étais bien loin de mes frayeurs de la nuit, et je pensai que le seul monstre en ce Loch, c'était moi. Je souris. Je baignai dans un décor de rêve dont je faisais partie. Je flottais dans ce lagon merveilleux en symbiose avec tout ce qui était vivant autour de moi, remerciant tous les démiurges qui me venaient à l'esprit pour cela et pour tout le reste.

Dans ce matin du monde fragile et puissant, subrepticement, **l'eau avait commencé sa médecine** :

L'eau me nettoyait de la nuit, d'hier, et de tous les temps passés. C'était profondément dans la nature de l'Eau que de nettoyer du passé, que ce soit dans la dimension physique du lavage, ou dans un espace plus ritualisé comme celui des baptêmes. J'étais tout à la fois lavée, lovée et nettoyée à grandes eaux. Après mes prises de conscience de la nuit, et au cœur de ce lac, je savais pourtant qu'il n'y avait rien de sale à nettoyer. **La médecine de l'eau est celle de la purification. Autant le triangle du feu nous fait passer de la matière à l'immatériel et au spirituel, autant l'eau, humblement, nous ramène toujours vers le bas.**

Je bus la tasse. Non pas par accident, mais de la façon la plus intentionnelle qui soit. J'avais soif, et je trouvais une incroyable complétude, là, immergée au milieu du bel étang, à boire une gorgée, puis une autre, et ainsi jusqu'à la lie. Il y avait le lac, il y avait mon corps constitué aux deux tiers d'eau et il y avait l'eau avalée dans mon antre. Eau, eau et eau, partout. Eaux, vapeurs et glaces sur la petite planète bleue, et pourtant « *eau plus rare que l'or à l'échelle cosmique* » (Hubert Reeves). Eau en tous les êtres vivants, animaux et végétaux. Je sus à cet instant précis que mon offrande instinctive de salive au grand arbre avait été bien accueillie. Qu'avais-je alors à offrir de plus beau que mon eau, **eau source de vie.** Je repensai alors qu'un Frank Herbert avait lui aussi, en son temps, donné l'occasion à son héros, sur une planète sans eau, Dune, d'offrir à ses morts le plus déraisonnable cadeau ultime : l'eau de ses larmes.

Immanquablement une nouvelle envie se fit en moi. Après l'eau absorbée, je flottai là, et ma vessie me rappelait à elle. Je n'allais quand même pas uriner dans ces eaux limpides ? Hier encore j'y aurais vu matière à salissure. Ce matin je m'abandonnai au grand cycle, l'eau m'apprenant son temps. Contrairement à celui de la terre ou celui des rêves, **le temps de l'eau est cyclique, il s'inscrit dans un cercle sans fin.** S'évaporer, pleuvoir, ruisseler, se fondre en l'océan et à nouveau s'évaporer pour un nouveau cycle, et encore, et en corps... L'eau bue, l'eau urinée me faisait l'honneur de m'inclure dans son grand cycle comme un simple élément exogène, accidentel et sans grande importance. Boire, uriner, n'était plus seulement un acte que je pouvais accomplir, c'était une étape périphérique et incongrue du grand cycle de l'eau. S'évaporer, pleuvoir, ruisseler, être bue, passer dans mon corps, le purifier, être urinée, ruisseler encore, se fondre en l'océan et à nouveau s'évaporer. Je m'abandonnai : miction et communion.

> *« Ô Capitaine ! Mon...*
> *Ô Eau ! Hissez Eau Shanti*
> *Eau ! Je fus et suis »*

Je barbotai joyeusement. J'avais presque régressé au stade de l'enfant dans son bain, comme un fœtus en l'océan maternel, je guettai le prochain enseignement de l'eau.

Il n'en fut rien. Elle me laissa sur ma faim. Ou plutôt, sur ma soif devrais-je dire !

Car s'il est probable que l'eau eut encore mille secrets plus profonds à me transmettre, elle me laissa là pour l'instant, à patauger. Je n'étais pas rassasiée, j'y avais pris goût, j'en voulais encore. Soif de savoir, de connaissance, d'enseignement direct et intime par les forces de la nature elle-même. Soif d'évolutions, de révélations et de changements de paradigme...

L'école m'avait trop souvent ennuyée. Ceux qui étalaient leur culture générale et livresque sur un ton professoral me faisaient bailler. Tous les bons conseils de ceux qui voulaient transmettre leur expérience acquise me faisait fuir. Mais en cet instant, en me refusant ses ultimes secrets, en m'échappant et me glissant entre les doigts, en creux, **l'eau me transmit une soif inextinguible !**

Merci pour la soif ! Gratitude pour la soif peut-être au moins autant que pour ce qui vient la rassasier.

Je plongeai alors, tel un colvert, tête la première, pour aller voir sous la surface des apparences.

À chaque brasse verticale je m'enfonçais un peu plus profondément. Je jouais avec plaisir contre la poussée d'Archimède. L'eau, plus dense, semblait encore plus calme quelques coudées plus bas. Tout semblait se suspendre dans une lumière tamisée. Je m'arrêtai de nager, à mi-distance de je ne sais quoi.

Je restai là un moment, en apnée, yeux grands ouverts. L'eau déformait ma vision et jouait avec la lumière du soleil matinal qui prenait à cette profondeur la forme de mille kaléidoscopes. En apesanteur et sans repère, très vite, je perdis toute notion de haut et de bas, et j'aurais bien été embêtée si j'avais voulu nager vers la surface.

Heureusement, je ne le voulais plus !

Je ne voulais plus rien d'ailleurs. J'étais juste bien.

Je ne voulais plus d'autres lieux qu' « ici », ni d'autres moments que « maintenant ».

Le concept de « je » s'était dissout dans l'eau comme du gros sel, aussi bien que le sens même du mot « concept ». Tout semblait se dissoudre dans tout. Icar et moi célébrions notre union dans un mariage intérieur (Hieros Gamos). La fusion amoureuse ne s'arrêtait pas là, elle engloba bien vite Kilian, mon fils. Ou était-ce moi qui disparut en lui ? Comment savoir ? Ce n'était là que les prémices d'une liquéfaction plus totale !

Souffle suspendu, entre deux eaux.

Fis encore quelques derniers mouvements hiératiques ralentis dans le grand bain pour stabiliser la position.

Corps et pensées engourdis, engloutis.

Goutte à goutte.

S'en remettre à plus grand que soi.

Goutte d'eau retournée à l'océan.

Abandon total.

Milieu utérin en la mère de toutes les mers.

Comme ingéré et intégré à Océan de sagesse.

Bulle de savon se déchirant et laissant à voir le grand tout.

Silence absolu rythmé du seul chant muet des sirènes.

Danse immobile suspendue des planètes, des ondines et des atomes.

Béatitude. Sentiment océanique.

Tout est parfait.

Tout est dans tout.

Tout est.

Tout.

- FIN -

C'eût pu être la fin, la fin de tout, la fin de l'histoire, la fin de mon histoire en tout cas.

Et c'eût été parfait ainsi !

Et...

Et cependant...

CHAPITRE 19

Face à cette disparition, à cette dissolution aquatique totale, devant l'abandon ultime aux eaux, comme devant ma propre mort, à deux doigts d'une forme de connaissance quasi divine de l'univers par mon annihilation océanique, infinie et immobile, ... quelque chose vibra quelque part.

Quelque chose vibra quelque part.

Il y eut comme un minuscule frémissement, une simple fluctuation dans la singularité. À peine plus qu'une onde, pas encore une brise.

Air, vent, véhicule du Souffle Majuscule, Divin, il semblerait que tu planes, aussi, sous la surface des eaux ?!

« Médecine de l'air », « Grand Vent Cosmique », « harmoniques et échos du Om primordial », « espace de résonance des supères cordes quantiques », « Grand Esprit », « Pneuma », « Grand Mystère » ; je ne sus comment te nommer sans rire immédiatement des surnoms grandiloquents dont je t'affublai ! Un seul Souffle et des myriades de respirants, de mouvements, d'expériences, d'expressions de l'Un.

Au commencement, c'est ton absence qui me tira du néant.

Le souffle manquant, l'absence d'air. L'oxygène qui faisait défaut à mes poumons appelait, brûlait, me tortillait.

Alors il m'a été donnée cette chose incroyable qu'est le fait de pouvoir choisir : disparaître parfaitement dans les limbes euphoriques de l'absolu, ou accepter de m'incarner, de naître, imparfaite et limitée.

Je sentis dans mes poumons que l'appel à la vie pouvait, voulait, passer par moi. Il m'était donnée de refaire ce choix d'y répondre, en conscience cette fois. Renaissance.

Un souffle divin, encore, à mon oreille, résonna comme les harmoniques d'une flûte :

> « *Tout , tout , tout , tout , tu*
> *tout , tout , tout , tout , tout , tu-tu*
> *tout , tu-tu-tu, ... Je ! »*

Magnifique folie que de me sentir présente au moment précis où je choisissais de vivre ma petite vie, bornée, localisée, dans ma si petite personne, modeste, humblement, réellement, simplement, sur terre, dans ce court laps de temps qui me sera permis.

L'appel à la vie est plus fort que tout. Je vis les visages de ceux que j'aimais penchés sur moi. Je vis mon fils. Je vis ma mère et mon père, Je vis mes amis. Je vis des personnes que j'avais su aimer, d'autres moins. Je vis les bons moments partagés et les autres moments aussi.

Sans une hésitation maintenant, de tout mon être, j'avais choisi de vivre Ma vie !

Immédiatement le souffle de vie se fit force vitale, tourbillon, ravissement.

Le maestro maelström s'empara et emporta tout avec lui, et mes questions, et mon devenir.

Je me sentis irrémédiablement soustraite et remontée vers la surface. Ou était-ce que je plongeai plus avant vers l'autre versant ? A moins que je ne m'expandis en toutes directions ? Je ne savais plus... seul existait réellement dans cet océan figé pour l'éternité l'appel d'air : **l'initiation de l'air est un appel !**

Je me rappelai soudain que le Souffle de l'Air avait toujours été là, dans mes poumons depuis ma naissance, et devant la boutique apportant la bruine, et dans la forge pour attiser le feu, et dans le parc avec Maha, et dans la forêt avec chaque branche, chaque feuille et dans la tempête bien sûr ! Toujours là et toujours ignoré, négligé par moi, comme un poisson qui ne croirait pas à l'existence de l'océan qui le contient. Il avait fallu que l'air me manqua pour que je découvre qu'il était omniprésent, invisible et essentiel ! Je voulais maintenant de tout mon cœur et mon corps me laisser traverser par lui, je l'appelai de mon vide, de tout mon être, dans un cri dont le souffle manquait...

ma vie suspendue à la possibilité d'un souffle...

... et puis, une crinière orangée !

Je devinai donc un pelage, le pelage orangé de Sunfox, et l'agrippai. Lui savait sûrement ! Il nageait, courait, volait vers l'air pur, vers la lumière. Je m'accrochai à lui. De toute ma soif de vie, de tout mon élan, de tout mon besoin d'inspiration, je m'accrochai à mon renard de feu. Je revis toute ma vie défiler dans la cavalcade aquatique que je fis suspendue à la fourrure de mon allié. Je l'avais si peu vécue, si peu aimée jusqu'à aujourd'hui !

Maintenant, je voulais la vivre cette vie !

Juste elle, rien qu'elle. Rien que ma vie, telle qu'elle. Rien que moi. C'était bon !

Quelque chose se déchira. Un voile ? Une poche des eaux ? En surface ou en moi ? Me mettant en contact avec l'air désiré, aimé.

Comme un nouveau-né, premier inspir, je poussai un grand cri, primal.

Il résonna puissant et résonnera longtemps encore.

LIVRE 3 :
DU BEABA

« *Je suis vivant. Le monde n'est pas seulement une chose posée là, extérieure à moi-même, j'y participe. Il m'est offert. Je vais peut-être mourir du sida, mais ce n'est plus ma vie... je suis dans la vie* »

Les Nuits fauves - Cyril Collard

CHAPITRE 20

... Bleu indigo infini de l'océan ? Flou...

Bleu azur d'un incommensurable ciel ? Indécis ...

Et maintenant, plus distinctement ; bleu pastel et vert de gris, les yeux malicieux et fatigués du vieux Cramh !

Ses yeux primo. Son visage ensuite.

Je vois maintenant toute la tête du vieux Cramh qui est penchée sur moi. Son regard auquel je me suis accrochée, mais aussi son sourire bienveillant, et ses rides lénifiantes.

Je suis allongée à même le sol dans la boutique, le vieux Cramh me soutient, comme s'il m'avait ramenée ou récupérée de je ne sais où.

Je commence à entre-percevoir aussi un peu sa voix, au loin, ses intonations chantantes, éraillées et rassurantes.

- Tout va bien Clarice. Vous êtes là maintenant, avec nous... Tout va bien Clarice.

J'aperçois Charli, il est blême.

Le chien roux me regarde du coin de l'œil, il est tranquille, lui.

Le vieux Cramh retire sa sandale et s'enquiert :

- Vous me voyez ? Combien j'ai de doigts ?

Il me montre ses doigts de pieds.

J'éclate de rire ...

Nous rions, ensemble.

La voix de Cramh est passée de rassurante à rassurée !

- Je suis contente de voir que vous allez bien Clarice. Vous nous avez fait une belle frayeur.

- Qu'est ce qui s'est passé ?

- ...

J'aperçois Chali qui se hâte en tous sens. Je ne sais pas s'il se dépêche de répondre aux recommandations d'urgence de son patron ou simplement s'il panique encore ? Je vois juste qu'il n'est pas du tout efficace. Sur son tee-shirt je peux lire maintenant : « *Un Geek ne vieillit pas : il level up* ». En le regardant, je m'attendris et me demande quand est-ce qu'il va se décider à monter d'un niveau lui aussi ?

Le vieux patron reprend :

- J'allais vous poser la même question, Clarice. Qu'est-ce-qui s'est passé ?

- Non, ne m'appelez pas Clarice. Je m'appelle « Oiran, Oiran Doshu » maintenant.

Cramh ouvre des yeux incrédules. Je devine qu'il recommence à douter de ma santé mentale.

- Que me racontez-vous là, Clarice ?

- Oiran Doshu, c'est mon nom d'initiée lui dis-je.

Cramh ne répond rien, il est songeur.

Charli passe sa tête par-dessus l'épaule du vieux Cramh :

- « *Oiran Doshu* » c'est pas un nom ça ! C'est un truc japonais !

Je sais que Charli est dans sa période entre japon-niaiserie et japon-mania. Ça dure depuis un moment d'ailleurs. Je tourne mon regard vers lui, et attends ses explications.

- J'ai vu une vidéo l'autre jour sur internet là-dessus. « *Oiran Doshu* » c'est juste un défilé de jolies japonaises !

Et le vieux Cramh de compléter :

- Effectivement, une fois par an, certaines geishas se rendaient au temple, pour une « *parade des courtisanes* » que l'on appelle « *Oiran Doshu* ». Juchées sur leurs Geta à très hauts talons compensés, elles font cela avec une lenteur et une majesté qui n'a d'égal que leur féminité et leur spiritualité !

Plus profond que didactique, Cramh ajoute :

- C'est un chemin sacré que suivent celles qui ont transformé leur errance, en quête, puis en voie ! Mais, d'où tires-tu ce nom toi ?

Le vieux bonhomme est tout songeur, je ne lui réponds pas...

Je considère le cadeau à double tiroir que m'a fait Grand-Mère Maha en me donnant ce nom d'initié. Pour ne pas dévoiler mon secret au vieux Cramh je l'interroge, le taquine, à mon tour :

- Comment savez-vous tout cela sur ces histoires de Geishas vous ?

Ma question pactise avec la sienne pour rester sans réponse.

Je me redresse sur les coudes.

Cramh et Charli me dévisagent, comme s'ils voulaient deviner mon état, comme s'ils me voyaient pour la première fois, comme si j'étais autre, comme s'ils essayaient de retrouver du connu dans celle qu'ils avaient devant eux maintenant. Charli me semble particulièrement perturbé. Cramh peut me voir tel que je suis.

Il me tend un verre d'eau en m'aidant à me rehausser un peu plus ...

- Non merci, je crois que je ne vais plus boire d'eau avant une éternité.

Les deux hommes me scrutent, tentent de m'évaluer, de me percer, et je sais que je leur échappe.

Le vieux a assez d'expérience pour accepter l'évidence de mon nouvel état et du mystère, et il a encore assez de force pour m'aider à me relever et m'asseoir.

Je vois bien que Charli est plus troublé. Il doit sentir quelque chose, même s'il ne comprend rien. Hésitant, je le vois se diriger vers l'arrière-boutique. Il s'approche de la porte interdite. Il se retourne sans cesse pour vérifier que le patron ne le voit pas, et effectivement, celui-ci est trop occupé à prendre soin de moi. Charli n'est plus qu'à un pas de l'arrière-boutique où il n'a jamais mis les pieds. Il s'arrête un instant. Il se retourne encore une fois. Il ne guette pas seulement son patron pour savoir s'il est vu ou pas cette fois, il cherche mon regard, comme s'il voulait vérifier quelque chose...

Le chien roux se décide alors à venir me laper le visage. Je décide pour ma part de continuer à l'appeler Sunfox. Je caresse mon chien, je cajole Sunfox. Tout est comme si c'était simple et normal entre nous.

En regardant mieux Charli, je me dis que c'est lui qui est interdit, pas la porte.

Je me plie au jeu des questions/réponses et évaluation du vieux Cramh comme si je voulais l'occuper, l'accaparer, et qu'il ne remarque surtout pas l'hésitation, le balancement de Charli. Cela est inutile, le vieux Cramh, tout sourire et magnanimité me fixe sans se retourner et me dit :

- Je sais...

Je sais qu'il sait.

Nous jouons encore un peu tous les deux à ce jeu dont nous ne sommes pas l'enjeu, laissant l'espace et le temps à Charli d'oser seul...

Il fait une grimace étrange, que je préfère interpréter comme un clin d'œil. Il fait un pas pour s'aventurer de l'autre côté, et bascule...

Je ne le vois plus, ...

J'ai même la certitude immédiate que je ne le reverrai plus jamais.

Le vieux Cramh, impassible, soupire d'aise, me prend les mains et s'enquiert encore de moi et de mes esprits retrouvés.

Un silence sans gêne s'installe entre nous.

Il me tend mon sac à main comme si de rien n'était.

Je ne sais plus quoi dire, ni quoi demander, ce n'est plus important.

Je ne sais pas pourquoi mais j'ai l'impression que c'est la dernière fois que je le vois lui aussi. Le vieux Cramh doit sentir la même chose sans doute car il me sert fort, fort dans ses bras, alors que je ne lui connaissais pas d'inclinaison à de tels épanchements.

Je suis debout, définitivement.

Tout naturellement, je fais les quelques pas qui me séparent de la porte d'entrée de la boutique, qui en l'occurrence sera ma sortie.

Nous sortons, mon chien et moi, sans nous retourner...

Carillon.

CHAPITRE 21

... Dehors, l'air est frais dans la semi-obscurité.

Je retrouve presque facilement ma voiture égarée.

L'horloge verte digitale du tableau de bord indique 19h23. Je prends acte de l'horaire sans savoir quel jour nous sommes !

Combien de temps suis-restée dans cette boutique, plongée dans tout ce qu'elle cache et abrite ? Seulement 30 minutes ? Un jour ? Ou deux ?

Je mets le contact et suis submergée par le brouhaha de l'auto radio que je coupe promptement. Dans le presque silence de l'habitacle, je m'abandonne à chantonner cette ritournelle que j'ai en tête :

« La terre est mon corps,
l'eau est mon sang,
l'air est mon souffle
et le feu mon esprit. »

Je n'ai aucune idée de qui a bien pu m'apprendre cette chansonnette ...

Je pourrais me sentir un peu perdue. Je devrais peut-être ?

Je ne comprends pas grand-chose, mais je me sens bien, très bien, à vrai dire , mieux que jamais ! Je suis à nouveau dans ma voiture, dans ma petite ville, dans ma petite vie, comme si rien n'était arrivé. Pourtant je sens bien que rien n'est plus pareil. Je pense au petit Prince :

« - Tu ne t'en souviens donc pas ? disait-il. Ce n'est pas tout à fait ici !

Une autre voix lui répondit sans doute, puisqu'il répliqua:

- Si ! Si ! c'est bien le jour, mais ce n'est pas ici l'endroit... »

Alors pourquoi chercher à comprendre ? J'ai encore en tête toute cette aventure, toutes ces rencontres...

Je pense à mon fils comme à un petit prince à aimer plus qu'à éduquer.

Je pense à mon ex mari, à notre relation, comme à un malentendu ou chacun a fait ce qu'il pouvait, d'où il était, et je n'ai plus que de la tendresse et une pointe de gratitude à son intention. Nous sommes si imparfaits, qu'elle belle folie d'avoir cru en la possibilité de notre amour. Notre rencontre a eu lieu. Je lui souhaite bonne route.

Je pense à mon corps et à ses dérèglements immunitaires, et je me prends dans les bras.

Je pense à mon job, et entrevois ce que j'y gagne, ce que j'y laisse, me ménageant des ajustements à venir.

Je pense à Nora Jones... et je me mets à chanter « *Come Away with Me* », doucement, au début.

Ma petite vie, mon appart, les symptômes que je traînais, mes peurs des lendemains, mon besoin de me sentir utile, ... tout, je prends tout. Sans tension, tranquillement, rendre grâce pour ce qui est. J'ai le pouvoir de rendre grâce pour ma vie. J'ai le pouvoir de l'orienter et d'agir. Oh, pas un bien grand pouvoir, pas un super pouvoir de super héros qui défie les lois ontologiques. Juste le petit pouvoir de jouer dans les interstices entre les grandes lois de la vie, juste assez de marge de liberté pour exister tel que je suis et jouer à être moi, toujours renouvelée. Merci.

Je chante de plus en plus fort, à tue-tête et cœur battant.

Je croise un premier automobiliste. Il semble absent, voir quelque peu soucieux. Il capte et s'accroche à mon regard. Il me voit, bouche grande ouverte de mon chant piailler, ondulation rythmique de mon buste et de ma tête. Il ne peut pas entendre ma logorrhée mélodieuse. Mais quelque chose passe cependant. Je suis comme contagieuse, il esquisse un sourire au coin des lèvres. Je souris à mon tour en songeant que c'est un bon début comme premier nouveau contact avec les autres, avec le monde extérieur. Un sourire échangé.

Klaxon !

- Connasse ! Tu as failli me rentrer dedans...

Oups ! C'est moi qui ai refusé la priorité à cette femme dans sa berline à ma droite ?

ÉPILOGUE - 1ᴱᴿ DU NOM

Plus tard, chez moi.

Au moins 1.000 ans plus tard. Un fusible dans ma tête explose, un éclair de lucidité.

ECLAIR CRAMH ... CLARICE RAHM... anagramme !

Papier, crayon, vérification ! Dingue !!!

Non ? Mais, alors, se pourrait-il que ?

Vérification :

MAHA EL-CRIRC... CLARICE RAHM

Dingue ! Mais je deviens folle ou quoi ?

et aussi, évidement : CHARLI CREMA

et bien sûr : ICAR CHARMEL

Je chancelle. D'un geste quémandeur, ma main gauche cherche soutien et appui dans le vide. Heureusement tu es là, mon bon chien, qui vient au-devant de ma caresse. Merci Sunfox, toi au moins tu existes, il n'y a pas tout-à-fait que moi, dans cette histoire.

Il y a Sunfox et Clarice. Clarice qui ne rame plus, mais qui ramène à elle la substantifique moelle de ses expériences. Clarice, que dis-je Oiran. Oiran Doshu qui marche sa voie, sa parole...

ÉPILOGUE - 2EME DU NOM

Longtemps après.

Pendant au moins 1.000 ans j'ai eu beau chercher, tourner et retourner dans le quartier, bien sûr, je n'ai jamais retrouvé la boutique.

Et c'est là que j'ai commencé à imaginer te raconter mon histoire...

Mais est-ce que cela est seulement racontable ? Est-ce que devant le grand mystère, évidemment ineffable, il n'est pas préférable de garder le silence ? C'est peut-être pour cela que, dans l'Antiquité, celles qui étaient initiées au Grand Mystères d'Éleusis, juraient de ne rien révéler à qui-que-ce-soit, de rester muettes.

L'ultime cadeau de mon initiation se résume peut-être en une simple phrase que les mystiques ont su chamarrer bien mieux que moi : *«je suis un autre toi-même »*

Alors cette question, si tu es mon lecteur, ma lectrice, quel est ton histoire initiatique personnelle ? Comment vas-tu développer toutes les facettes de ton être, déployer tes propres sous-personnages dans le roman de ta vie, commencer un nouveau chapitre de ta propre histoire, de ta propre aventure ? Quels sont tes anagrammes ?

Je ne sais comment t'accompagner là-bas, comment t'écrire cela, je n'essaye même pas.

Simplement, si tu joues à savoir que « *je suis un autre toi-même* » ou même à « *tu es un autre moi-même* » et si tu augures qu'il en est de même avec chaque personne que tu croises à partir de maintenant, qu'est-ce-que cela va changer dans ta vie ?

Il y a si peu d'espace entre le début et la fin. Il y a juste un souffle, un simple brin auquel t'accrocher, sur lequel tirer, comme un fil d'Ariane qui commencerait et terminerait ce roman par une quasi épanadiplose. Un Alpha et un Oméga, pour entrer et sortir de mon histoire, et surtout pour que tu entres dans ta propre histoire...

> « *Je sors, je ne suis plus là, je n'ai jamais existé, je suis partout* »
> « *Quelle folie, quelle sérénité* »
> « *Tout est parfait ainsi* »
> « *C'est magique !* »